《期權 Long & Short》之進階篇

期權心理

期權 Long & Short 之進階篇 期權心理

作　者：杜嘯鴻

出版人：杜嘯鴻

出 版 社： 香港期權教室 / HK Option Class

地址：香港九龍灣展貿徑1號國際展貿中心10樓1026A室

電話：(852) 2735 8165　　傳真：(852) 3404 5505

網址：www.hkoptionclass.com.hk　電郵：cs@hkoptionclass.com.hk

印　刷： 美雅印刷製本有限公司

發　行： 春華發行代理有限公司

初　版： 二〇一五年七月

二　版： 二〇一八年七月

免責聲明

本書作者已經盡力令書中內容詳盡及準確，但是不能保證內容的完整性及準確性。作者沒有資格亦沒有意圖向公眾提供投資建議。任何投資都有風險，如有任何疑問或者懷疑，投資之前應該請教專業人士的意見，或者向有關政府部門查詢，敬請讀者注意。

PRINTED IN HONG KONG

單本 ISBN: 978-988-12346-4-3

三本套裝 ISBN: 978-988-12346-9-8

代理經銷：白象文化事業有限公司

地址：401 台中市東區和平街 228 巷 44 號

電話：(04) 2220-8589　傳真：(04) 2220-8505

第二版序

《指數期權》、《股票期權》及《期權心理》，這三本書的第一版已售罄。從市場銷售看，《指數》最快賣完，《股票》次之，《心理》最慢。但筆者從寫作的角度看，《心理》最費氣力，《股票》次之，《指數》則最簡單。由此可見，努力與成果經常不成正比。

其實，期權書不可能是大眾讀物，這三本書的銷售與市場上參與期權操作的人群有關。剛剛參與期權操作的，大多數喜歡看《指數》，因為較為簡單，快上快落，十分痛快。但略有期權操作經歷後就會喜歡看《股票》，因為這是累積被動收入（Passive Income）的好方法。操作了一段時間後，經歷了賺錢的快樂和輸錢的痛苦，這些人就會懂得如何看《心理》，從中領略操作的心態，是另一個層次的提升。這三本書的第一版售罄後，筆者得到的反饋就是如此。

藉此，筆者請閣下看完這套書後，自我檢查自己目前是那種人，還可以做個測試，借這三本給朋友看，看朋友對這套書的態度是否是筆者提及的那三種。益己益人，何樂而不為。

這次發行第二版，第一版中的筆誤和排版問題已得到修正，在此特別多謝助理陳俊謙/Frandix Chan 及學員小周的細心工作，也要多謝深圳王岩小姐 /Lilian Wong（《期權 Long & Short》〈中國篇〉的作者之一）在最後階段的認真校對。文字創作是靠個人的力量，但文字出版工作的確是需要集體的力量。

筆者藉此機會也返看這三本書，覺得寫作方面還是有頗大的改善空間，今後要不斷努力。筆者返看後覺得汗顏之處是導讀文，因為導讀文是這三本書的特點，應該寫的更有啟發性，更有趣，這樣才能增強這三本書的可讀性，令正在操作期權的讀者受益。因此，筆者有計劃要覓時重新整理導讀文。

與這三本書套裝書配對的，是《期權 Long & Short》（第七版）與《期權十年》（全新書），這兩本是寫給未決定是否參與操作的人士，作為了解期權，增進金融知識閱讀的。若讀完《期權 Long & Short》與《期權十年》後，決定參與操作期權，就應該看這三本套裝書，而且三本都必須看完，因為這是閣下必定要經歷的過程，對閣下一定有益，看完後才做決定是從指數開始還是從股票著手，還是雙管齊下。當然，筆者是建議先擇其一，累積了經驗後再涉及兩者。

最後，筆者在此的建議是：當閣下確定參與指數期權或股票期權時，這三本書當然要看一次，待閣下操作了一段時間後，不要忘記再返讀一次，你會發覺自己的不足之處，但同時又會充滿自信心。

杜嘯鴻
2018 仲夏

序

在期權教室工作坊堂上開頭就講：做期權第一要素是心理因素，第二也是，第三還是。工作坊結束時講："Do as what I said, but don't do as what I do"，因為筆者自己所寫的要求，自己有時也做不到。

筆者強調操作期權是長期的行為，一定要有心理素質的培養，而這個工作只能靠自己，在自我培養的過程中，必須盡可能先了解自己，但要了解自己是如此之難，人就是難有自知。所以，多看一些心理文章，吸收一些他人的苦與樂，經常進行自省（self-examination），一定有幫助。

作為《期權 Long & Short》的進階篇，《期權心理》涉及方方面面，包含較多哲理性的文章，有講宏觀理論，也看微觀數據，這些理性分析都是引導期權操作的思維方法。筆者有時也會重讀自己寫的文章，次次都有反省作用，產生新的思考，新的體會。

《期權心理》不單值得正在操作期權的人士閱讀，更值得那些還未準備進場的人士閱讀，因為未進場，讀者可以先在心理上了解期權，真正進場時就有了心理準備。《期權心理》可讀性強，趣味夠濃，閣下喜歡，可以看得很過癮。其實，即使對期權沒有興趣的人士，本書也具閱讀價值，因為一定可以增聞見廣，開拓視野。筆者認為，看心理文章是修行的過程，應該心平氣靜，因此選用寶藍色為此書的主色調。

筆者曾就讀上海華東師範大學的國際金融課程和香港嶺南大學的實踐哲學課程，獲益良多，對本人而言，金融知識易明，哲學理論難解。筆者認為學金融就要進場操作，練好真功夫（除非研究宏觀經濟），讀哲學就要有文章，讓思想開放。此書期權操作的篇幅頗多，不贅。以香港嶺南大學實踐哲學研究生的名義，筆者有數篇文章發表在《信報》和《信報財經月刊》，這次編輯後作為此書的附錄，原汁原味，讓各位看個痛快。在此，也呼籲學哲學的人士要多寫文章發表，特別是理論與實踐結合的文章。

筆者認為哲學存在於我們生活的每個角落，而哲學與心理息息相關，若我們能用多些哲理去開拓思維，引導生活，我們一定會活得更精彩。在當今的香港社會，對許多成年人而言，投資或投機都會是生活的一部分，筆者提倡做「一個保守的投機者」（《信報》早期文章標題），這是無可奈何的選擇。而所謂保守，就是包含了心理和哲學。

杜嘯鴻

2015 年 6 月

此書的期權主題明確，目錄則是以時間編排，目的是方便讀者需要時可按時間順序翻查歷史數據，理解期權操作的心路歷程。

2012

2013

2014

附錄

後記 177

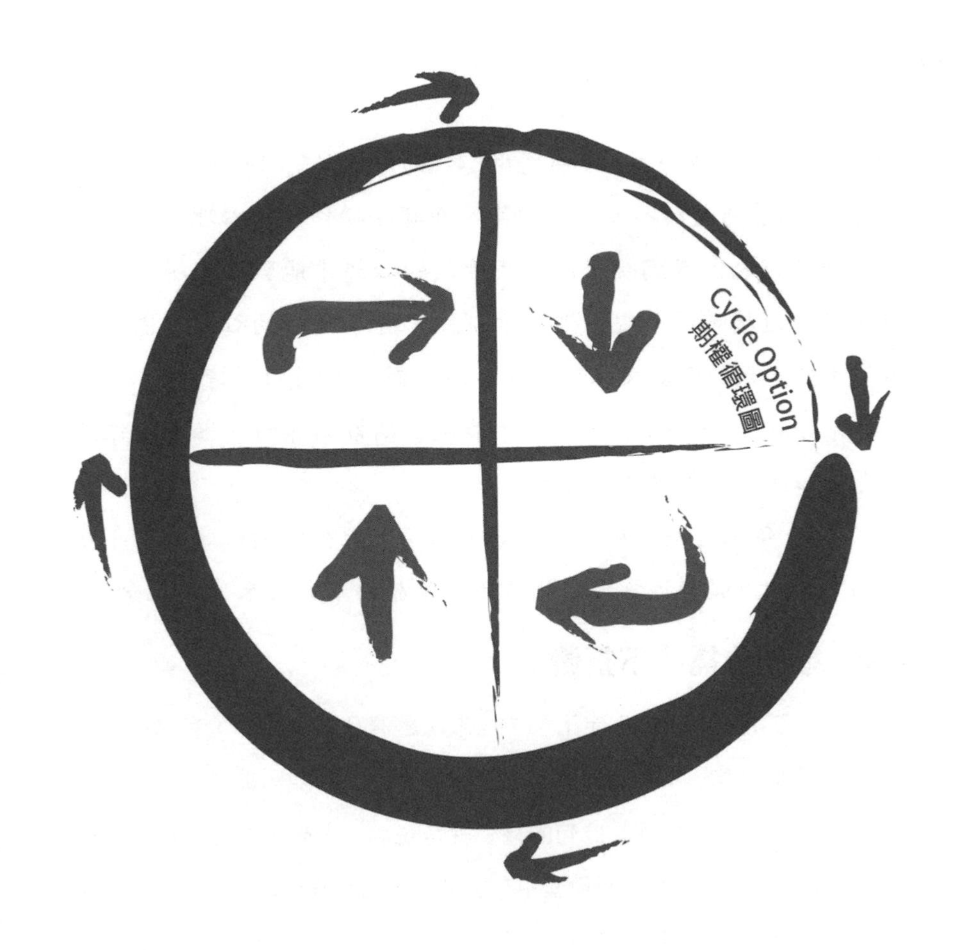

期權心理
2009

2009/01/03

作為本書的開始，筆者希望讀者細心領會本篇的粗體字：Short 是本大利小利不小，Long 是本小利大利不大。這裡涉及在實際操作時的心理問題，因為操作期權是長期的行為，我們要用能自我控制的心態才能戰勝市場。筆者認為這是散戶參與者進場前的基礎心理質素訓練，有了良好的心理準備，才能迎戰各種風浪。接下來的兩篇文章都是理性地探討這個問題，請細讀。

做期權就要有 Long 也有 Short，這樣才能做出期權的味道，筆者操作期權的思維基礎也是如此，教學方法亦然。

事過境遷，2009 年筆者服務於大福證券，同年大福被海通收購。當年在《信報》以大福證券網上服務投資顧問發表的文章放於本文文末作為紀念。

2009 做期權　獲利也需「不折騰」

胡總近日文稿以「不折騰」三隻字定下了中國未來經濟發展的方向，有讀者來函問及「不折騰」的中英文含義。筆者試譯如下：此乃中國北方口語，非文字語言。此時用口語，更顯中國文化之博大精深。此句的核心就是説明：未來中國經濟發展的政策，要重視實際性、持續性及穩定性。具體套用在香港，像「港股直通車」這類的事情就不能再「折騰」了。英文翻譯則也應口語化，筆者認為可以是："Make it practical and simple!"，希望各位看官給意見。

近期節假日除了重讀好書外，也不斷思考 2009 年期權投資的進退方寸，免不了也上網搜尋期權文章，不知不覺發現香港幾個財經網站，都有轉載筆者早先在《信報》發表的一些文章。由於時間已久，這些財經網站仍然採用，料想定有其原因，最起碼可能是持續地有讀者捧場。為此筆者認為，若有機會繼續在推廣期權的市場上多做工作，在下理當全力以赴。

有一篇文章，筆者認為被財經網站轉載有理，這是筆者 2007 年 7 月 13 日在《信報》投資理財版發表的文章，題為〈期權 Short + Long〉，今天取其片語再與大家分享：

『為了讓眾多散戶理解期權，我們可以這樣解釋：Short 是投資，Long 是投機。

Short 是本大利小，但其實利不小，因為贏面大，輸的機會小。

Long 是本小利大，但其實利不大，因為贏面小，輸的機會大。

Short 是投資，要用不能輸的錢進行，所謂運用本金去追求較安全的利潤。

Long 是投機，要有可以輸的錢，也就是要用現有利潤去追求風險利潤。』

分享以上經驗之前，讓我們先冷靜分析港人的特點。大多數港人喜愛「刀仔鋸大樹」，但用「刀仔」把「大樹」鋸下來，談何容易，運用到期權更難。因為「刀仔鋸大樹」十分費時，時間值的損耗足以令「刀仔」蝕刃。所以，若想「刀仔鋸大樹」就一定要借勢，在「勢」的助力下，「刀仔」才會有效。相反，若是「大樹」，能容忍「刀仔」慢鋸，大不了損其膚皮，不傷筋骨，那又何妨？！這種方法對許多已具備一些本錢投資的港人來說，將自己作為「大樹」，讓人「鋸」（指開 Short 倉），應該也是一個不錯的選擇。

由於篇幅有限，Short 是本大利小，Long 是本小利大，Short 是投資，Long 是投機，這四句話的運用，讓筆者用下週的篇幅再做詳細介紹。

2009 年應該是波幅略為收窄的一年（相比 2008），最起碼月波幅 7000 點以上（如 2008 年 10 月）難見。目前我們可以預見的第二波衝擊，可能會是信用卡和債券，但這兩個市場的衍生工具較少，是傳統商業銀行的主力業務，投資銀行（目前美國大行已消失）和對沖基金（目前也已大幅減少）涉及面不深，故若第二波出現而引發的波幅應該不會像 2008 年般激烈。

《信報》老曹 2008 年初有文章指出，2008 年是做期權的好年頭，但以目前市況看，若從安全性考慮，2009 更勝 2008，期權的功能可以發揮得更精彩，當然也是「不折騰」。

節前大市牛皮待變，外圍休市，估計大市要到下週才有分曉，筆者較為看好並以好倉主導。但也認為此時起碼有三種策略可行：第一，簡單法，Long 兩頭，等波幅，到時斬一頭（是否 Short 兩頭，見仁見智）；第二，分析法，做功課後定出某方向的策略，若信心不大，考眼光，用小注（如筆者）；第三，耐心法，等待波幅出現後才做，但事先要做好功課，不要到波幅出現時手忙腳亂。如筆者在期權教室所講，好的策略一定是因人而異，各人應該根據自身的條件，自行選擇。

藉此篇幅，筆者順帶一句，2009 看貨幣供應和美匯變化，比看基礎因素可能更具現實意義，因此，本月股市穩中偏好應該可以持續。

杜嘯鴻

今年做期權獲利需不折騰

胡總近日文稿以不折騰定下未來中國經濟發展的方向，有讀者來函問及不折騰的中英文含義。筆者試譯之，此屬中國北方口語，非文字語言，此時用口語，更顯中國文化的博大精深。此句的核心就是說明，未來中國經濟發展的政策，要重視實際性、持續性及穩定性。具體套用在香港，就像港股直通車這類事情就不能再折騰了。英文翻譯則也應口語化，筆者認為，可以是make it practical and simple。希望各位讀者給予意見。

今年應該是波幅略微收窄的一年　（黃潤根攝）

刀仔鋸大樹困難

近期假日除了看好書外，也不斷思考今年期權投資的進退方寸，免不了也上網搜尋期權文章，不知不覺發現香港幾個財經網站，都有轉載筆者早前在《信報》發表的一些文章。有一篇文章筆者認為轉載有理，這是2007年7月13日在《信報》投資理財版發表的文章，題為〈期權Short+Long〉，今天取其片語再與大家分享。

該文提到：「為了讓眾多散戶理解期權，我們可以這樣解釋：Short是投資，Long是投機。Short是本大利小，但其實利不小，因為贏面大，輸的機會小。Long是本小利大，但其實利不大，因為贏面小，輸的機會大。Short是投資，要用不能輸的錢進行，所謂運用本金去追求較安全的利潤。Long是投機，要有可以輸的錢，也就是要用現有利潤去追求風險利潤」。

在分享以上經驗之前，讓我們先冷靜分析港人的特點。大多數港人喜愛刀仔鋸大樹，但用刀仔把大樹鋸下談何容易，運用期權就更難。因為刀仔鋸大樹十分費時，時間值的損耗足以令刀仔蝕刃。因此，若想刀仔鋸大樹就一定要借勢，在勢的幫助下，刀仔才會有效；相反，若是大樹能容忍刀仔慢慢鋸，最多只會損其皮膚，不會傷其筋骨。這種方法對許多已具備一些本錢投資的港人來說，自己作為大樹，應該是一個不錯的選擇。

今年應該是波幅略微收窄的一年，最起碼月波幅7000點以上（如去年10月）難見。目前我們可以預見的第二波衝擊，可能將是信用卡及債券，但這二個市場的衍生工具較少，是傳統商業銀行的主力業務，投資銀行（目前美國大行已消失）及對沖基金（目前已大幅減少）涉及面不深，故若第二波出現而引發的波幅應該不會像去年般激烈。

目前三大策略

《信報》老曹去年年初有文章指出，去年是做期權的好年頭，但以目前市況看，若從安全性考慮，今年更勝去年，期權的功能可以發揮得更精彩，當然也是不折騰。

假期前後大市牛皮待變，外圍休市，估計大市要到下周才有分曉，筆者較為看好並以好倉主導，但也認為此時起碼有三種策略可行：一、簡單法，Long二頭，等波幅，到時斬一頭（是否Short二頭見仁見智）；二、分析法，做功課後定出某方向的策略，若信心不大，考眼光可用小注；三、耐心法，等待波幅出現後才做，但事前要做好功課，不要到波幅出現時手忙腳亂。如筆者在期權教室所講，好的策略一定是因人而異，各人應該根據自身的條件，自行選擇。

藉此篇幅，筆者順帶一句，今年看貨幣供應及美滙變化較看基礎因素可能更具現實意義。因此，本月股市穩中偏好應該可以持續。

大福證券網上服務投資顧問

筆者為香港證監會持牌人

2009/01/10

接上篇

學習期權要花時間鑽研

上週六的文章提及「不折騰」的解釋和翻譯，本週本港各類報章已見大篇幅文章報導，但看來看去，眾多篇幅似乎還是在「折騰」之中。有一位讀者來函，認為若翻譯成香港人的口語「搞搞震」更為貼切，「不折騰」就是「唔好搞搞震」，筆者認為可取，多謝你 Jeremiah Ytep。

老曹終於淡出《信報》，日記變為週記，雖然這是已知的消息，但見即成事實，不免仍是有些失落。看不見「木宰羊」、「屎刁拔」，好像少了些甚麼。近日細讀林行止專欄，有一篇結尾寫到，「投資者要深切體認，賺錢是世界上最艱難的事，要在股市中有所斬獲，花點時間鑽研是最起碼的工作。」筆者回想 2008 年在期權市場操作，除了十月份錄得虧損外，基本上每月都是正回報，全年計的收穫仍然令人滿意，當然，這是屬於小本經營的投機生意（操作自己的少量資金）。筆者在期權教室反覆強調，期權是值得港人花時間去學習的投機工具，因為這是一種每月可以獲得正現金流的方法，但風險相對其他衍生工具為低，特別是持有正股的朋友，風險更低。若懂得利用期權，基本上可以做到每月為自己加人工，在 2009 年的日子裏，此舉應該是很多朋友希望做的買賣。

但是期權操作不能像買賣股票般直截了當，必須花時間耐心地搞清楚整個遊戲規則，特別是「時間值」和「引伸波幅」的運用。「時間值」和「引伸波幅」是操作期權的關鍵，聽起來容易，學也不難，但與大市配合運用，在實際操作中並非想象中簡單。若想成為期權市場長期的獲利者，是需要一段時間磨練。見部分期權教室的學員操作一段時間仍未賺錢，細看原因，大多是賭性太強，理性不夠。任何投機行為都會有賭的成分，但運用在期權，應該用較低的賭性去操作，理性的智慧反而更顯光彩。

上週提及 2007 年 7 月 13 日筆者在《信報》的文章，以及港人「刀仔鋸大樹」的心態，今天再繼續講 Short & Long。

Short 是本大利小，這就是「大樹」對付「刀仔」，以本取利，也就是用「按金」去收取「期權金」，這種機會每月都有，但必須用保守的方法耐心地去做。表面看來利不大，但若以年計，相信可以跑贏不少基金。

Long 是本小利大，也是每個人的夢想，但除了借勢，運氣也必須要有頗高的百分比。這種機會不是經常有，你要十分留意市況，勤做功課才能抓住機會。若從馬後發炮，當然十分興奮，但在實際操作中，獲利的機會頗低，所以只是看起來利大。

Short 是投資，既然是投資，就要按照巴菲特的格言，「保本第一」！因此只能追求安全的利潤。所以筆者在期權教室用《孫子兵法》的「勝兵先勝而後戰」，來形容做 Short，也就是説出手時要立自己於不敗之地。投資是一個漫長的路程，我們要有慢慢累積財富的心態，才能在期權市場上賺錢之餘，還能享受到做期權的樂趣。

Long 是投機，是賺高風險的錢，所以要用輸得起的錢進行。在投機市場，若你的心態能做到「輸得起」，其實你已經贏了一半。輸得起並不等於有豪氣去輸錢，而是有良好的自控能力，會果斷地進行止蝕，保留本金，下次再試，不會因為輸錢而感到內疚。

上週也提及要多看貨幣行情，比看目前的基本因素重要，原因是若你的進場心態是跟著近期的基本因素跑，你會嚇出心臟病。但從貨幣行情看，目前的資金極為充沛，只是投資心態還未走向正面。這與德國股神科斯托蘭尼所講，「若貨幣行情是正面，投資心態也會很快走向正面」。

2009/03/28

此篇文章雖短，筆者希望帶給散戶讀者的是：作為普通散戶，買賣股票，不要花太多時間於宏觀層面，這是經濟學家的工作。要買賣獲利，就要看微觀數據，看成交，看消息對正股的影響，分析期權變動。

宏觀看經濟　微觀看股票

期權一週今天當然要講匯控的期權策略，但也要討論一下國內提議運用國際貨幣基金組織的特別提款權（SDR / Special Drawing Rights），此提議的大方向會影響目前單一以美元作為儲備的狀況。此消息上週二在華爾街日報有大篇幅的報道和眾多分析，但美股的反應十分冷靜，不感到目前美元霸主的地位正在受到挑戰。週四國內的報道和分析也紛紛出籠，有少數過激的言論，似乎顯示著狹隘的民族主義。

我們不得不承認，SDR 是一個大議題，若中國可以有效利用，全球的貨幣格局將會起到變化，導致經濟活動隨之轉向，全球的政治力量也會在新的經濟活動中重新角力。我們只能從宏觀的層面去分析此提議所可能帶來的利弊。筆者不擅長研究宏觀經濟，只是知道中國的 GDP 目前只有美國的四分之一，雖然沒有美帝般負債纍纍，但卻是承擔著沉重的生產力過剩的壓力。此壓力表像是經濟現狀的反應，但深層次看，此壓力隨時會轉變成社會的政治壓力。從經濟發展方面看，國內在應用科技方面與美國無法相比，產生新的經濟動力尚欠。而美國在應用科技方面仍然獨領風騷，具備著在廢墟上重建的條件和力量。國內此時提出 SDR，時機當然拿捏得好，估計今後也會在「適當的時候」再提出，但此舉的成效如何，實在有待觀察。筆者本週初認為，此舉是為了中國在本週 20 國峰會上的發言更具影響力，但週四見報道，20 國峰會上不會討論 SDR。在世界政治的角力中，除了從宏觀層面平衡利益，核心價值有時也會起頗大的作用。

因此，筆者認為，我們當然要留意這個提議的發展進程，這對做宏觀的基礎分析十分重要，但作為一般散戶，則不必太費神於 SDR。因為我們是普通散戶，研究微觀層面對我們在股市中獲利更有價值。

2009/04/18

作為金融業的從業員，筆者當然會有自己對這個行業的觀點，這是個傳統行業，免不了會有夕陽的成分，但這個行業對資本主義太重要（包括具中國特色的社會主義），其再生率定超死亡率，所以應該看好。

筆者在大福證券（編按：2009 年時併入現今海通證券）的堂上就大聲呼籲不能碰雷曼迷債，記得當時的講座題為：「迷債不是債」。此文今天仍可回味，筆者還是堅信，金融業的改革就是要體現從業員的價值，任何向這個方向邁出的步伐都應該推動！

事過境遷，2009 年筆者服務於大福證券，同年大福被海通收購。當年在《信報》以大福證券網上服務投資顧問發表的文章放於本文文末作為紀念。

改革收入長治本　監管產品短治標

期權一週，本人認為本週焦點應該是溫總對香港金融業的意見。筆者作為一位本港金融行業從業員，想在此作出一些回應。記得去年年中，溫總曾對香港金融業有這樣的稱呼——「香港金融業當局」。筆者在期權教室上課時解釋，這句話若用到香港的俗語，那就是「你咄呢班友」，中央對香港金融業的警鐘去年已敲響。這次溫總再提「不進則退」，並說明十年後，2020 年上海將會打造成世界級的金融中心，直追香港。這已不是再敲警鐘，而是警告！但是此時此刻，我們的領導人還是滿臉得意洋洋的樣子，以為香港有機會成為人民幣結算地之一，是特區政府十分了不起的政績，筆者為此感到無奈。因為國內要推動人民幣結算，香港是必然要參與的，沒有香港，此結算功能將會有欠缺。換句話說，提出人民幣結算議題的開始，就可以預計香港的結局。本人不認為香港能取得結算的地位是需要通過極大的努力才能爭取得到的。再詳細回顧溫總對香港經濟增長的具體方向性指引，令筆者想起毛澤東經常引用龔自珍的一句詩詞：「我勸天公重抖擻，不拘一格降人才」。

雖然《信報》給筆者的篇幅十分有限，但在此也想應市講幾句對金融業的觀點。

長治本可能要改革佣金及收費制度，要有新制讓金融從業員的收入能與客戶的盈虧成正比（新舊制度完全可以同時並存）。因為只有收費制度上的改革，才能較快地在目前市場的運行血液中產生新的元素，激勵從業人員不斷努力，讓後浪推前浪，本港健全的金融體系之優越性就可得以充分利用和發揮，一定不需十年，叫人刮目相看，將對手拋在後頭。

短治標是監管產品，特定的金融產品應該留給該專業人員介紹及銷售。筆者在許多講座上都曾經提到，見銀行的櫃檯服務員充當推銷員銷售結構性產品，筆者心裏想：妹妹仔，你究竟識幾多？香港迷債（筆者稱之為迷惑的債）令香港金融業蒙羞，遺留一大串不單是金錢問題，而且是社會問題。筆者認為，銀行應該為迷債作出百分之百的保本賠償，也就是説，投資者分文賺不到，只可取回減去所有銀行手續費後的本金。銀行就要為此做出全面撥備，因為這是貪婪所致，只有慘痛的教訓才會痛定思過，作為銀行，本身就不是一個十分適合零售投資產品的場所。

杜嘯鴻

改革收入長治本 監管產品短治標

本人認為本周焦點應該是溫總對香港金融業的意見。筆者作為一位本港金融行業從業員，想在此作出一些回應。記得去年年中，溫總曾對香港金融業有這樣的稱呼「香港金融業當局」。筆者在期權教室上課時解釋，這句話若用到香港的俗語，那就是「你地呢班友」，中央對香港金融業的警鐘去年已敲響。這次溫總再提「不進則退」，並說明十年後，2020年上海將會打造成世界級的金融中心，直追香港。這已不是再敲警鐘，而是警告！

但是此時此刻，我們的領導人還是滿臉得意洋洋的樣子，以為香港有機會成為人民幣結算地之一，是特區政府十分了不起的業績，筆者為此感到無奈。因為國內要推動人民幣結算，香港是必然要參與的，沒有香港，此結算功能將會有欠缺。換句話說，提出人民幣結算議題的開始，就可以預計香港的結局。本人不認為香港能取得結算的地位是需要通過極大的努力才能爭取得到。

改革佣金收費制度

雖然《信報》給筆者的篇幅十分有限，但在此也想應市講幾句對金融業的觀點。筆者認為，長遠可能要改革佣金及收費制度，要有新制度讓金融從業員的收入能與客戶的盈虧成正比（新舊制度完全可以同時並存），因為只有收費制度的改革，才能較快地在目前市場的運行血液中產生新的元素，激勵從業人員不斷努力，讓後浪推前浪，本港健全的金融體系之優越性就可得以充分利用和發揮，一定不需十年，另人刮目相看，將對手拋在後頭。短期治標是監管產品，特定的金融產品應該留給該專業人員介紹及銷售。

筆者在許多講座上都曾經提到，見銀行的服務員充當推銷員銷售結構性產品，筆者心裏想：妹妹仔，你究竟識幾多？香港迷債（筆者稱之為迷惑的債）令香港金融業蒙羞，遺留一大串不單是金錢問題，而且是社會問題。筆者認為，銀行應該為迷債作出百分之百的保本賠償，也就是說，投資者分文賺不到，只可取回減去所有銀行手續費後的本金。銀行這要為此做出全面撥備，因為這是貪婪所致，只有慘痛的教訓才會痛定思過，作為銀行，本身就不是一個十分適合零售投資產品的場所。

溫總提醒香港不進則退

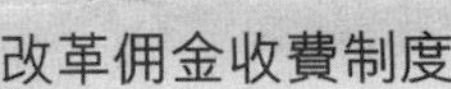

回到本月期權，本月恒生指數從13746點起步，最高達15977點，未能試敲16000點，上升幅度2231點，市場亢奮再現。筆者近期一直看好，理由是壞不到哪裏去，但不至好到如此，特別是目前經濟狀況下，短期的急升甚有保留。原因有二：第一，A股升勢如虹，成交大增，但大家要看到這些股價的上升，並非企業盈利或預計企業盈利造成的。按照研究經濟的講法，是流動性造成的。也就是說，市場太多便宜資金（資金來得太容易），沒有好的出路，乘股市低迷進場抓一把。

國內的市場就像一隻鳥，一抓就死，一鬆就飛。最近大陸股市、樓市皆漲，股市資金無法統計，但以第一季度房地產按揭計，統計局發布的數據是5059億，但是以央行統計全國按揭總額數據是1405億；相差幾倍。內地有分析指，這就是企業借貸資金大量流入托市的現象，並非真實以需求造成的房地產小陽春，估計股市亦然。

財技創造美股升勢

其二是美股，美股近期在高位震盪，主要的支持動力來自銀行股，銀行股的動力又來自不必以公允價計價，也就是說不必Mark to market。如此計法，銀行近期表現可以輕易錄得利潤，股價升三倍不足為奇（花旗股價從上月初最低1美元左右升至近期的4美元）。因此筆者稱之美股是財技創造出來的升勢（本周的升勢也可能與美股期權結算有關），財技效應一旦失效，投資者又要面對現實的經濟狀況。因此，本月筆者月初的Short Put平倉後採用風險較高的Short Call價外，周五再小注加Long Put因為等價IV已低至39%，另外也認為此刻是期權循環圖所示——升有限。

至於滙控期權，本周以0.12平上月開的Short Put四月44／40.74，上月收4.50。餘下正股，正等待被53.88 Call走。目前?控處於空倉狀態，滙控期權策略從供股至今的第一階段完成，獲利令人滿意。筆者記住商品大王羅傑斯的一句話：你應該耐心等待好機會，賺了錢獲利了結，然後等待下一次機會。如此，你才能可以戰勝別人。

大福証券網上服務投資顧問、香港證監會持牌人

2009/07/11

筆者堅持講期權用「Long & Short」，不用「長和短」，理據如下文。但更深層次的是這兩個英文詞的中文翻譯都有缺陷，因為中文沒有詞語對應這種動作。這種現象比比皆是，較典型的是「邏輯」，中文本來沒有「邏輯」一詞，只是譯自 Logic 的發音。

期權 Long & Short

在操作期權時用英文 Long & Short 是筆者的習慣，因為用 Long & Short 表達操作期權的策略比較傳神。時下在教科書中當然大家可以找到長倉和短倉的講法，但筆者認為，Long & Short 在期權操作中應該當動詞翻譯，而長倉和短倉則用了名詞翻譯。Long 與介詞 /Preposition 中的 for 配合，是渴望的意思。比如説，Long for something 是指想要得到還未有的東西，因此是花錢買東西，是支付期權金達到某種目的的行為。Short 是 Long 的反義詞，但在傳統的金融行業裏，多少帶有一些貶義，認為有投機成分。理由是因為 Short 在期權操作中有賣空的意思，可以是無貨在手，但在高位賣出；也可以是手無足夠現金，但在低位訂約買進。Short 是 Long 的反向行為，既然反向，Short 就是沽出，就是收取期權金達到某種目的的行為。Long 和 Short 在期權操作中用長短解釋，筆者就有這樣的經歷，被問是否指時間（長與短），有些搞笑。所以不論「長短」或「高低」，還是「Long & Short」最實際。

在期權策略中有幾個主要因素是要時刻顧及的，在策略運用時也必須考慮，但要留意的是 Long 和 Short 的考慮因素會有不同。比如説，時間值、對沖值、引伸波幅等。筆者提倡用動態制定期權策略，也就是在波幅的變化中採取策略進場，因為只有在動態狀況下制定策略，你才能充分利用以上講的幾個主要因素。若你只做跨價，也就是説在同一個時段的 Call 或 Put 上，同時做一個組合策略：一個 Long 再加一個 Short，賺取 Long 與 Short 之間的差價，持倉至結算。這種方法，你是很難充分利用以上的幾個主要因素。因為你是在幾個相同的條件下開倉，這幾個主要因素對 Long 和 Short 的影響都一樣，你並沒有佔到甚麼便宜，等於你並沒有真正利用到這些因素。而動態做，則有許多不同的機會和技巧可以運用，甚至您可發揮您的想象力。

2009/09/19

在香港解釋期權和窩輪較為容易，因為港人對窩輪頗為熟悉。面向內地的朋友則略費篇章，因為窩輪商在內地的廣告甚多，但不是稱「窩輪」，而是稱為「權證」，所以導致許多人都以為權證就是期權。筆者在內地上課時也想，為何沒有期權廣告呢？

期權與窩輪

窩輪在香港十分流行，成交量全球第一，因而本港獲得衍生工具之都的美譽。但反觀期權市場，目前雖然在成長，但成交仍然偏低。由於期權是港交所的產品，商業宣傳力度差，投資者教育更顯不足。《期權 Long & Short》一書的讀者頗為認真，來函問及許多問題，並希望深入了解。筆者會盡力回覆，並放在教室的網上給大家參考，但願這些回覆是成為此書的售後服務。今天選題作答，因為感到此問題有教育意義。

讀者問題是：期權結構與窩輪十分相似，哪種期權買賣比較適合新手？

對！但應該説是期權的 Long 與窩輪結構十分相似，因為 warrants 就是在 options 的基礎上衍生而來，是期權的變種。

但作為新手進入期權市場，如期權教室堂上所講，從風險考慮，應該先 Long 後 Short，汲取一些經驗。而 Long 基本原理就是 warrant 的概念，都是有時間值的產品，但新手要留意的除了時間值，還要留意不同產品的時間性。

所謂時間性，是指該合約的時間周期。一般 warrant 的時間性在 3 個月至一年，所以有人持 warrant 倉頗長。期權雖然也有長至一年的合約，但成交十分少，不是散戶的市場。若做三個月或以上的期權，因為可以做 Short，所以當你做 Long 時會覺得期權金甚貴。本人則建議 30-50，也就是做 30 至 50 天的期權，是中短線的買賣。

了解了時間值和時間性，你對時間性的選擇決定哪個比較適合你。比如說你打算做 Long 或 warrants，若您的觀點較為長線，準備持倉一個月或以上甚至半年，可能 warrants 略勝；若您準備 3-5 天的持倉期，可能 Long 期權可取。而做 Long 給新手的最佳時間，就是書上所寫的「30/50 月尾 Long」。

2009/11/07

筆者是科斯托蘭尼的追隨者，經常引用他老人家的話語。最主要的因素是：科斯托蘭尼的經驗是用自己的資金買賣而成。各位讀者，請用心去理解筆者這句話背後的含義。

科斯托蘭尼的雞蛋與期權策略

九十三歲謝世的一代智慧型投機者科斯托蘭尼，在自己最後一本書中，圖解了他看市場趨勢的「雞蛋」循環法（見圖 1）。他提出，在作出決策前，最好要判斷出自己身處哪個階段。

（圖 1：科斯托蘭尼的「雞蛋」循環法）

讓我們以恒生指數（見圖 2）試分析目前的階段。恒生指數從 10676（去年 10 月份）升至上月的 22620（今年 10 月份），升幅達 110%，時間為 12 個月。從波幅和時間上看，可以視為是完成了牛市的第一期，其理由都是老生常談。從跌看，在驚慌中跌得過深，比如說連匯控供股都有市場人士認為不划算，花旗跌至 USD0.97 時也有人士認為花旗會步他人的後塵。

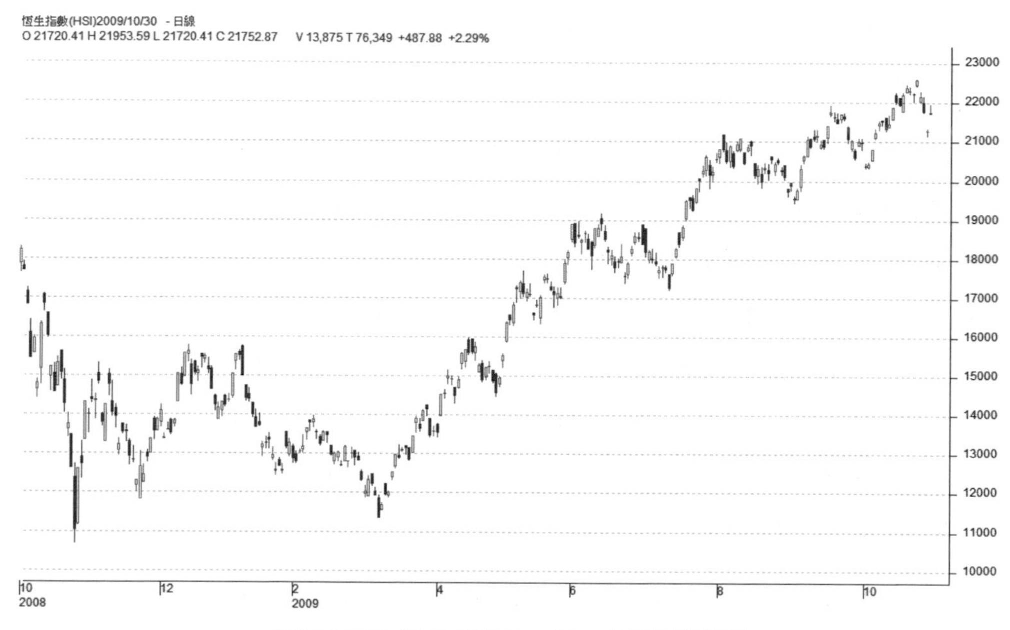

（圖 2：2008 年 10 月至 2009 年 10 月恒生指數圖）

先從升看，此次升市主要是由各國政府的救市計劃所推動，政府制造大量的流動性去刺激資產價格。比如說美國大幅增加債務，狂印鈔票去挽救瀕臨崩潰的金融業。而中國也推出四萬億振興方案，但根據網上文章評論，有兩萬億流入股市和樓市。在這種市況下資產價格豈有不升之理。但這種升勢缺乏實體經濟的支持，應加以控制。因此，全球政要都在討論退市計劃，當市場都在準備退市計劃何時實行時，牛市第一期也可能應該結束了。換句中性的話可以說，升勢的幅度將受到抑制。

若各位同意此觀點，也就是說我們將進入牛市第二期。筆者早前文章曾提及美國道瓊斯在大蕭條期的變化。若以歷史為鑒，30% 的波幅可以預見，也就是說我們可能要面對 6000 － 7000 點的波動。時間上通常認為牛二比牛一時間為長，因此我們要預計一年以上。若閣下持有各種股票，您應該如何訂策略呢？

再從跌看，導致跌勢的主要因素會是退市計劃和加息。如果説金融類股是救市計劃的受益者，那退市計劃也將傷其身。我們見美國大行都在積極囤積現金，可能也在為將來會出現的逆境市況或實體經濟會出現的收購機會做準備，這也可能是美匯略微轉強的因素。雖然市場都在講加息，但加息預期對金融股只是中性，對本港的地產影響可能略大。當然，目前對加息只是在心理因素的層面，我們只需考慮股市對這種心理的反應。因此，對某些股票，也就是經過修改會計準則令帳面好看的股票，或是今後將會面對加強監管的股票，以及會受這些股票影響的相關股票，若閣下持有，可以每月逢高 Short Call 增加收益都不會大錯。

我們再從升看，牛二的升勢動力是來自於基本面的改善，説明實體經濟真正開始復蘇。行文之時巧獲巴菲特 440 億美金收購鐵路商的消息，這正是投資實體經濟的最佳寫照。在實體經濟中，關鍵看消費，有消費才會有利潤，這才是真正的經濟體流動性，對股市產生正面的作用。但可能會發生有趣的現象是，由於基本面改善，又導致了加息的預期。筆者的觀點是，若加息是帶來心理影響，股市反映可能是負面。但若加息成為現實，實體經濟需要加息進行調整，那加息就會是牛二升勢的真正動力，升上 26000 點以上完全可能。所以，這段時間在低位用 Short Put 買股頗為可取，可是能做期權的實體經濟股不多。若轉戰指數期權，見新低時做即月的價外 Short Put 也應該是不錯的選擇。

另外，牛二是一個人們對將來充滿憧憬的階段，市場氣氛不會差，不論投資和投機，都願意承擔一定的風險，再加上低息環境將會維持相當長的一段時間，市場資金充沛，關鍵看你如何尋找機會。按科斯托蘭尼的說法是，您必須要有想像力！比如香港下月有東亞運動會，若閣下想像中國是世界體育大國，體育股屆時應該有所表現，您是否可以考慮安踏（2020），因為這個股票將在那個時段再上高位的機會比其它股票大。若閣下的想像力能看到國內「大款」花錢的氣派，申請新股利邦（891）如何？看別人花錢，您也會心情愉快。

從時間上看，牛二是會長於牛一；從波幅看，牛市二期波幅也不會小，但不會像牛一有急促的升幅。若升勢和跌勢並存，這也正是做期權可發揮之處。當然，最後一提的是「雞蛋」的中心，我們要學會等待——等待機會。

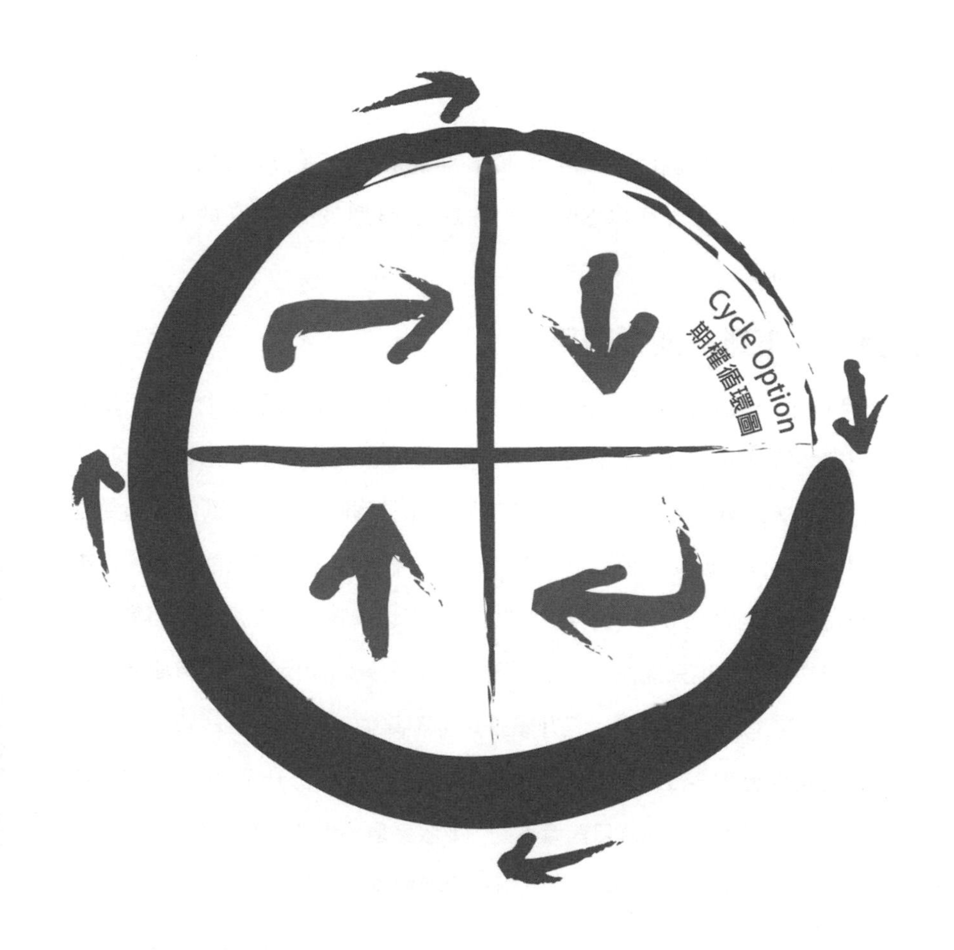

期權心理
2010

2010/01/09

筆者認為期權操作的妙處在於任何市況下都能獲利，包括進退兩難的市況。為何做期權有勝算？因為可以 Short，特別是預期波幅收窄的日子，不會光持有股票而沒有收益。

2010 攻上難　退下難　期權勝算

本週是 2010 年的第一個交易週，頗有指導意義。1 月 4 日，紅盤不紅也不黑，筆者網上文章題為紅盤需要雙日成，而且是中美配合，因為雙方都有此需求。見 5 日急升並配合大成交，眾人歡喜，消費強勁。可是急升帶來的只能是回吐，7 日的跌勢型態更是穿頭破腳，陰包陽，雖然跌市成交低於 6 日，但 791 億也不算少。週五未能反彈，後市向下走一回機會頗高。筆者看好 2010 的投資利潤回報，但也清晰這是在泡沫中力爭表現的動作，即使有大成交配合，也只能説明資金泛濫，並非企業利潤所致。如科斯托蘭尼所講，有這麼多人買，就有這麼多人賣，狂升暴跌是仲不離伯。所以，雖然錢多，要攻上難。且看今年恒指起步於 21860，整體 P/E 約 18.98 倍，若一月份升至 23000，P/E 達 19.97，相信屆時的回吐一定不小。加息目前看不到，要收緊退下也難，基本面並未改善，靠消費推動的經濟需時，此時銀根不能緊。上下兩難，期權勝算。

今天是新年的第一篇文章，筆者先將自己在操作中較為深刻的思考問題與各位分享，願有共鳴。兩週一次與各位見面，買賣策略會是寫較中線的應市方法，當天的文章可在期權教室網站上的「每日策略」中看到。

大家一定認同，港股是夾在中美之間，只要美股和 A 股不是一起向下，港股的安全性還是頗高的，加上流動性強，國際遊資捨我其誰？作為散戶只要對港股的參與者和遊戲規則保持認知，勤做功課，常練身手，期待在大戶的世界裏圖些小利是可行的。2009年是普遍獲利的年頭，但在期權範疇，比較個性化，不少做期權的朋友 2009 的獲利明顯低於 2008。

國內的問題多羅羅，往正面看，30 年的改革開放只是起步，龐大的市場和處處機會一定令閣下信心爆棚，熱血沸騰，如媒體曰：這是唐朝再現，史上良機。往負面看，你也可能晚晚擔心，國內的社會問題遠遠大於經濟問題，由於社會問題是結構問題，難以運用經濟手段，反而可能要經濟讓路。但如國家領導人的講法：「任何問題乘 13 億都是大問題，而除 13 億就是小問題。」所以國內的問題雖然多，但有 13 億的數值在後，乘除都在黨的指揮之下，所以一定可以保持 GDP 的穩步增長。

進入 2010，美國的數據都會是較為正面，但缺乏信心，因為正面的數據是在人造流動性的條件下創造出來的，華爾街的遊戲規則並未見有明顯改善，貪婪的欲望並沒有受到約束。回想去年的今天，華爾街金融改革的聲浪如雷貫耳，此刻如何？二十世紀大蕭條未能改善的，廿一世紀金融海嘯亦然。生活在對前景缺乏信心的環境下，如何提升消費意欲呢？美國是靠消費去刺激經濟的，要重拾巨大 GDP 的上升動力談何容易。

「香港有股票嗎？」是筆者去年在北京清華大學的講演題目，《期權 Long & Short》書中也有介紹，在此不贅，各位細看近年成交額中的「香港股票」比例，已有答案。作為香港散戶，若用巴菲特的價值投資法，再加彼得林治的走訪法，兩者配合作投資決策，當然可行，但此法與國內人士相比，可能會失地利，欠人和。在香港股市營生，除了 Buy and Hold 做股票，散戶還可以做一個保守的投機者，香港的強項就是衍生工具，期權是其中之一。雖然觀點明確，但也要做好防範。若認同 2010 的主旋律就是退市和加息，我們要提防的是短線波幅，所謂短線波幅是指在這種戰戰兢兢地上升的市況中，市場情緒將十分敏感（market jittery），任何風吹草動，都會引發板機（trigger）導致突然的短線大跌，如杜拜事件。因此，作為保守的投機者，倉位略可進取，張數則應略減。

最後，有一個小小的新年禮物給個位讀者，希望大家享受學習，從中得益。

短片：科斯托蘭尼——優雅無悔的一生

網址：http://www.youtube.com/watch?v=Dk5mxnI6ITM

2010/02/06

技術分析筆者稱之為 Row Data，在《期權 Long & Short》書中有本人的觀點。整體而言，技術分析是歷史數據的量化總結，難以找到前瞻性的成分，所以這也就是不能盡信的原因。但技術分析如此風行，人人都能脫口而出，是因為簡單易懂。操作期權，筆者首推的 Row Data 是保利佳通道（Bollinger Band），雖然有許多缺陷，但畢竟這是看短期波幅的指標，值得參考。

筆者在此文要提醒的是：我們不能簡單地看保利佳的頂或底去做判斷，這些都是失誤的來源，我們要加 Raw Data 一起分析，這才是保守的投機者。

期權之道——保利佳

筆者經常強調，期權是一個波幅性產品，是在波幅中獲利，與方向性產品相比，如窩輪牛熊證，有它明顯的獨特之處。從技術分析的角度，用保利佳通道衡量期權買賣的時機，是十分值得期權操作者學習的。因此，期權教室技術堂教授保利佳通道時，稱之為「期權之道——保利佳」。

保利佳通道是以三條軸組成：

上軸 ＝ 移動平均線 ＋ 兩個標準差

中軸 ＝ 移動平均線

下軸 ＝ 移動平均線 － 兩個標準差。

（標準的平均線是以 20 個交易日為準，但坊間對此經常進行自我調整，如定為 18 日甚至是 14 日。）

標準差應用於投資上，可作為量度回報穩定性的指標。標準差數值越大表示股票現價遠離過去平均值，回報較不穩定，故風險增加。標準差數值細，表示近期股價維持窄幅上落。具體的數學函數在此不贅。保利佳通道提供給我們的是根據成交數據作出的客觀評估，説明現時價格是在相對高或者相對低的位置，若通道正在擴大（所謂「喇叭口放大」）是趨勢出現的現象。若收窄，是現有趨勢出現調整，但若收窄的時間過長，也是待變的現象。

我們今天以保利佳通道分別看道瓊斯指數、日經指數、恒生指數，我們可以看到技術指標只是客觀的反映，並非能預測方向，我們用通道的頂或底去判斷短期的高低位，或者用擴大或收窄看變動，這些只是保利佳的基本原理，但操作期權的最大風險，也正是來自於這些基本原理。

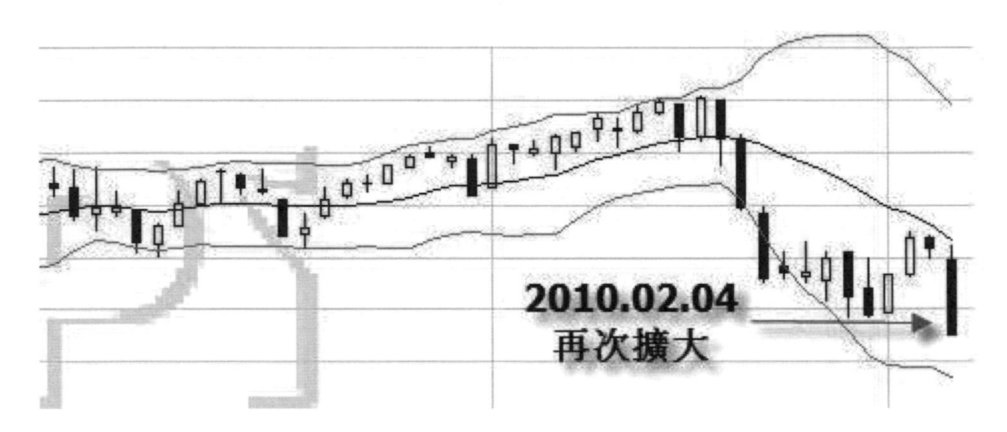

圖一：道瓊斯指數，日線圖至2010年2月4日。大家可見，價格處在保利佳通道的底，2月1日、2日、3日喇叭口已在收縮，表面看是市況跌勢回穩，可以重上中軸，但2月4日卻是大跌268點收場。

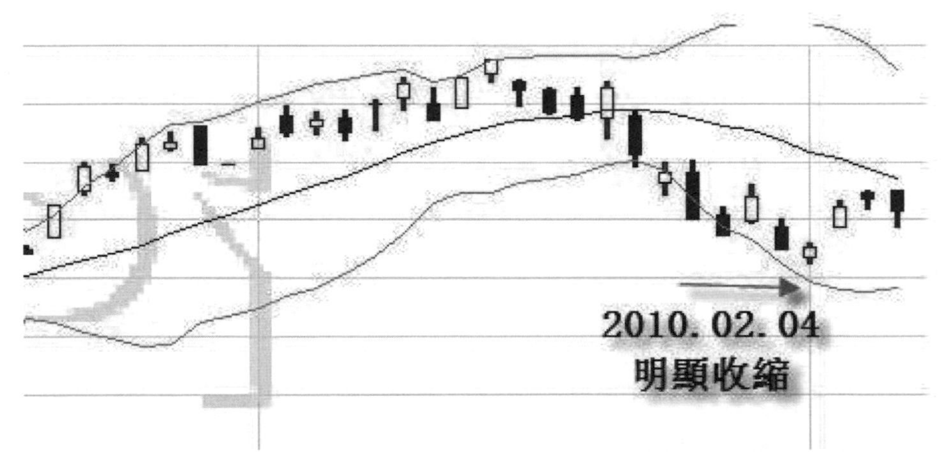

圖二：日經平均指數，日線圖至2010年2月4日。日經平均指數的下軸收窄現象更明顯，但2月5日同樣跟隨美股大跌三百點。

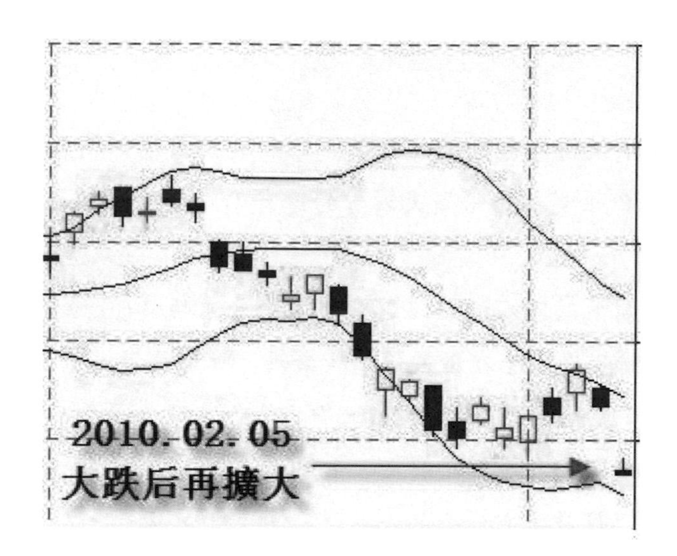

圖三：我們再看香港恒生指數，日線圖至 2010 年 2 月 5 日。2 月 1 日、2 日、3 日、4 日，在下軸回穩的情況下，2 月 5 日大跌 676 點。

從這三張圖中我們可以看到，做期權的風險經常出現在保利佳的底部（頂部亦然），當大市經過短期的下跌，價格已出現在下軸，再經過三兩天的反彈，通道出現收窄，是回穩的跡象，但意想不到的事總是發生，大跌後通道在底部再次擴大。因此，為了降低期權操作的風險，筆者在期權教室的網上文章一直強調，開倉的策略應該小注，另外，就是要配合《期權 Long & Short》所講的 Raw Data，一般建議看成交量，用保利佳與大成交的配合去確定短期的方向變動以定策略。

2010/06/05

此篇文章很值得年輕的朋友細讀，雖然這裡是講如何發現機會及如何積極參與機會，但筆者要帶給廣大讀者的還有兩點：第一點是信譽，第二點是身體。

信譽：若閣下認同人的最終追求和享受是永恆（Eternal），也就會認同筆者的觀點：信譽是人生在世最值錢的東西。所謂信譽，這是外界給自己的，不能自我標籤。因此，簡單而言，就是要努力，非常努力地去做自己能做到的事，當然是做給別人看，在別人心中建立信譽。所以，從做生意的角度講，有信譽的人，也應該是有能力的人。

要做生意，本錢當然是首要的條件，但不是絕對條件。由於筆者一直都比較實在地做自己有能力做到的事，久而久之，信譽也就產生。當時本人認為「六四」是機會，也能提出具體的操作計劃，所以得到內地進出口公司以數百萬美金（港幣數千萬）計的現金支持，本人則以港幣期票支付，當然，本人是以收到各路買家開出的本港信用證（Local Letter of Credit）為基礎去策劃這個整體方案。

身體：若閣下認同身體才是真正的本錢，也就會認同任何以健康為代價的行為都要適可而止，因為犯本。在 89 年北京民運的政治氣氛下，市場的機會和大量現金已備，但若沒有良好的體魄，也難以勝任艱苦的旅程。當時是酷暑，不但食物不適，而且為了趕時間看貨，安排夜晚在火車上睡覺，當時高鐵還未見影，去邊遠地區，是沒有冷氣的蒸汽火車，而且只有硬座，要在盛夏的熏風和蒸汽機車的汽笛聲中過夜。幸好，有本錢。

筆者很強調健康，所以不論寒暑，堅持每週游泳兩三次，每次一千米，這兩年還開始瑜伽練習，感覺非常好。這就是保本，要有本錢的原則。人在這種有本錢的狀況下就會產生樂觀、正面、積極、敏捷的思維，這都是源自健康的體魄。

少年時只能接觸蘇聯文化，曾讀過普希金（Pushkin，俄羅斯大詩人）的詩，此刻只記得一句：「一切過去的都將*變成親切的懷念*」。但有一定年紀之後，覺得要放開懷抱，因此，筆者更贊成這樣的講法：「讓過去了的變成*親切的懷念*。」*（前句是充滿哲理的必然性，後句是較自然更為人性。）*

二十年前的第一桶金

在金融行業有一句廣被引用的話：滿地鮮血之際，正是入市之時。這句話聽來有些殘酷，但其實這就是投機者最佳的金句。滿地鮮血不可能經常有，此次金融海嘯被稱為百年一遇，大的社會動盪可能一生也只有一兩次，若在年輕時遇上，是參與的機會；若沒有參與，是閣下錯過了機會；若有了一定的年紀才遇上，你剩下的只是曾經見過的機會，只能回顧，不能回味，因為只看過沒嘗過。時值 6 月初，此時回味二十年前本人的第一桶金，其味無窮。

記得當時在電視上目睹京城槍響，本港《文匯報》也大標題報導。對香港，那時是國內的轉口中心，驗證改革開放的聚焦點，影響之巨可以想像。由於當時外籍人士不願意也不被歡迎進入內地，許多傳統的生意，如鞋和布匹（如今廣州的非洲生意）的供應中斷，做非洲市場的印度商人甚至要登報徵求貨源。而國內廠家，特別是當時的出口大廠普遍遭到歐美名牌客戶取消訂單，優質貨品大量囤積，但廠方連發工資都有困難。可是這些歐美貨在非洲有絕對的市場需求，問題是價格和下貨速度。

這無疑是機會，你準備好了嗎？準備好了，但是沒錢，只有具體的方案和信譽以及差旅費和支票本。所以當時首先找到了在國內最紅的基金，該基金也有經營進出口業務，談妥讓該進出口公司先墊付人民幣（現金），本人則以港幣期票做擔保。

由於是買現貨，必須立即看貨，看包裝，與買方通電話，決定是否合適，立即落訂，即刻發運，所以必須親自下廠。近三週艱苦的旅程，從南到北，再東至西，經常是火車轉汽車，與「貧下中農」一道起居。慶幸年輕，任何艱難困苦只當樂事，特別是親身體驗到當時的社會現象更是有紀念意義。可憐的是那位進出口公司代表，由於我們是在艱苦的條件下親臨工廠，令廠方能及時將存貨變現金，該基金公司的寶號也夠響，眾廠家都視我們為英雄而熱情款待。天氣炎熱，這位小老弟口下沒有留情，一路腹瀉，但相信他的創匯獎金足以補償。

做生意的最高境界可以説是：貨美價廉，無本生利。標準的出口產品，貨美無疑。在改革開放初期，經深圳出口，可以享受創匯退税，精明的港商可以有多種利潤，進出口利潤和退税利潤。再加當時的社會狀況，廠方只求現金，主動提出大幅折扣，導致買賣根本無需討價還價，利潤已豐。另外就是成本低，差旅費加支票本，最高境界幾乎已達。

疲憊不堪的 6 月過後，7 月中開始在深圳指揮發貨，最多的一天是出 13 個四十呎櫃。

二十年前，本港曾出現移民潮，樓價大跌，本人年底看樓，記得當時地產經紀問，百多萬的樓將找那家銀行做按揭，我笑答不必：支票本在身，一次性付清。不過，為了幫一位銀行朋友，讓他有表現，才用了少量按揭。

近期市況反覆下跌，市場説不上是滿地鮮血，但也算是低潮。若你買進股票是如巴菲特共同參與經營的心態，此時見超人和四叔都在回購自己的股票，你的策略又是如何？見許多散戶在低潮時都是不願買進，不願冒風險，反而是在反覆的高潮中買進。在金融業中是沒有所謂低風險高利潤的買賣，即使有，能讓散戶參與的機會也十分少。散戶的利潤必須承擔風險，在對相關資產有認知的條件下，承擔自己能承受的風險，把握機會，勝算才高，而期權更是把握機會的工具。

2010/09/10

「Long 是風險有限利潤無限，Short 是利潤有限風險無限。」這句期權的廣告標題曾經是香港交易所早年在推廣期權時所使用，筆者在不同的場合都批評這句話。作為廣告標題，特別是交易所推廣期權的廣告，這個標題錯得很離譜！

期權本身就是由 Long & Short 組成的，若按這句期權標題去操作，有誰會去研究 Short？人人都去 Long！期權變成了以小博大的工具，變成徹底的投機行為，完全扭曲了期權真正的意義。

筆者當然知道 Long 的獲利功能，但作為投資者教育的一個環節——期權教育，應該是有 Long 也有 Short，各有各的功能，不能認為 Long 比 Short 好，相反亦然，這樣才能講清楚期權的整體概念，達到教人的目的，這也正是筆者第一本期權書《期權 Long & Short》的命名之所在。

利厚做 Long　本足做 Short

香港曾經有一句期權的廣告用語：「Long 是風險有限利潤無限，Short 是利潤有限風險無限。」此期權廣告語早些年頗為流行，眾人耳熟能詳。但在期權操作的實踐中，筆者對此略有保留，甚至認為，這句老話可能是導致本港期權市場多年來發展裏足不前的原因之一。近幾年這句期權的利潤與風險的廣告語已鮮見，本港的期權市場也開始有明顯活躍的跡象，當然，主要還是拜託網上操作期權開始流行。

《期權 Long & Short》一書中有這樣的描述：

Long 是投機，以小博大，本小利大利不大，因為贏面小。

Short 是投資，以大博小，本大利小利不小，因為贏面大。

若用 Long 獲利，風險有限但可以有無限的利潤，這當然是投機者夢寐以求的境界，但市場是否經常提供機會呢？不否認，Long 可以激發人性賭的心態，令大量沒有期權投資經驗和缺乏投資本本錢的人以「博」的心態進場。但在實際操作中，Long 是較難獲利的，因為市場不可能經常獎勵以「刀仔鋸大樹」獲利的投機人士，幾次損手，投機者就會黯然離場。根據期權引伸波幅微笑的理論（IV-Smiling），Long 的功能還是在 Put，用於對沖，這不是從獲利考慮的策略。若是中長期看好，從獲利考慮，Long 遠期，特別是 Call，期權金相對偏低，成功率也頗高，但這應該是已有利潤在手的投機，以不犯本為大原則。當然，有人在金融海嘯 Long Put 獲巨利，可是這種機會不多，成功者也是出類拔萃的少數（如 John Paulson）。

做 Short 是令投資增加收益和效率的行為，應該提倡，因為持有股票是普遍的投資現象，不過閣下要持有可以做期權的股票。買進股票當然是投資，在適當的時機做 Short Call 增加自己持有的股票收益，是十分愉快的投資行為。Short Call 收的期權金是比較少的（因為 IV-Smiling），因為這是風險極低的買賣，風險只是出貨。收益雖然少，但每月都有機會，集少成多，總比沒有做要好。若持有現金，準備買進股票，Short Put 是十分進取的投資行為，收取的期權金也會比 Short Call 多，因為有要接貨的風險。比較有耐性的人士會每月做 Short Put，到一但要接貨時，其接貨成本已大為降低，這是勝算在握的投資。

本港的期權市場分指數期權（歐式）和股票期權（美式），結算方法不同，期權策略也異，但策略的實質，都是迴避風險和管理風險。這將是本欄下期要討論的內容。本欄文章從本月起將隔一個星期五在《信報》發表，敬請留意。

2010/12/31

科斯托蘭尼是用開車來形容股市操作，大約的意思是說，開車要眼看前方幾十米，也就是當時的主旋律（當時的觀點認為海嘯後波幅會收窄），但方向盤的操作是注意眼前十米，對散戶期權操作而言，就是看 30-50 天的市況，制定期權策略。簡單講，就是即月、下月、或再下月，是微觀的行為，套用在開車，就是眼前十米。但我們也要看前方幾十米的路況，也就是科斯托蘭尼所講的主旋律，這對我們如何選擇路徑很重要。由於筆者建議 Long Short 並用，所以採用 Short Call 出貨再 Short Put 進貨，在波幅中取利的整體策略。

2011 年在泡沫中技巧地操作期權

2011 可能是期權市場興旺的年頭，理由是市場將有變化：其一是港版 VIX 將登場，其二是場外衍生工具場內化。這兩個因素可能會令本港期權市場進入快速增長期，機構投資者（institution）和專業散戶（serious amateur）都將增加。筆者在教室經常講要做 30-50 天的期權，一個月一個月慢慢做，看中短線，但今天是面對來年之日，我們要做一些較為宏觀的功課。

先看美國，聯儲局伯南克最近已明確説明量化寬鬆政策（Quantitative Easing）的持續性和必要性，但他説可能要正名，不是 Quantitative Easing 而是 Security Purchasing，按其意，筆者認為可以譯為「投資助長政策」。對此政策會產生的副作用——通脹，他表示有 100% 的把握控制，非常具體的做法是可以在 15 分鐘內決定加息。此言論十分清晰：資金要流向資本市場振興經濟。在這個大方向的指引下，2011 年的美股將會是易升難跌，雙底衰退的可能性極低，但也由於是人造資金流向，股票的價格會有被過分看好的可能，也就是所謂產生泡沫，但相對房地產的泡沫，股市泡沫要安全得多。

再看中國，若説美國經濟是處在金融海嘯後的復原期，那中國經濟是在高速發展後的穩定期。我們可見金融業蓬勃地在中國發展之時，也要面對高速發展的副作用，也就是造就了國家資本主義在中國盛行：國企、央企、到各層次的地方政府企業，在行使各種行政權力時與大大小小的經濟利益（包括個人）在一條軌道上運行。我們還可以看到，隨著改革開放 30 年產生的官場富貴，其第二代的姣姣者早已開始進入經濟的各個領域，揮舞大旗要大幹一番。在這種生態環境下，西方資本主義社會的市場功能在中國可能會被扭曲，競爭者之間的關係之複雜，令人眼花繚亂。但這是成長的市場，社會主義市場化的必然現象，要獲利只能去適應它。這是一種在市場上磨練才能學會的特有知識，所以外資企業若能在中國獲得成功，一定會被市場看好。

但在經濟的高速發展下內地政改顯得更不協調，本土的有奶粉事件的趙連海，海外的有諾貝爾和平獎得主劉曉波。通過這些事件，我們也見內地行政手段之僵化，處理方法之粗糙，是近幾年來之罕見。原因之一可能是有思維發揮能力的能人都已身處經濟領域，因為國內政事只需按上頭的意思辦便可。這種現象表面看對經濟發展影響不明顯，但其實這是中國社會深層次矛盾的反映，對社會發展帶來的影響只是時間問題。西方社會十分清晰這種社會發展現象，從輿論到行動都開始認為中國 2011 年起會有開始衰退的可能，甚至認為下一個衰退是由中國引發。

2011 年中國將面對通脹壓力，從一般經濟學的原理，加息可以抑制通脹，但中國的通脹可以用加息控制嗎？筆者持保留態度。此次通脹是由於國內全面性的房地產價格上升而推動的，何況 2011 年中國還要面對全面的大幅加薪潮，通脹只能看上，直至真正的消費內需能代替房地產對 GDP 所能產生的效益（筆者一直認為房地產就是第一內需）。溫和的加息控制不了這種由成本上升導致的通脹，只有把通脹目標定高些，讓市場接受。但由於有通脹，企業利潤有保障，為股市增添了上升動力。我們還要看到目前中國的國情只講一個字「穩」，金融政策的傾向可能與美帝相反，是不怕跌，因為跌不到哪裡去，要買上只是彈指之間，但若有「泡沫」就會不「穩」，所以我們難以期望大的升幅，一見「泡沫」就要止步。另外，中央提出利率市場化，來年可能會起步，這一政策對金融市場的影響，實在是未知之數。

港股處於中西之間，2009 是大升年，但 2010 年恒指升幅只有 1134 點（年開 21860

點，年收 22994 點），也就是只有 5-6%，可見持股在股市獲利不易。2011 年有人為資金流和企業通脹利潤的因素，可收可放的期權策略可能略勝一籌，要跑贏大市並非艱難之舉。由於預期 2011 年是升幅和跌幅都是有限（最起碼上半年），所以主題可以是：Short Put 可以用少量孖展收貨，有新高應該 Short Call 出貨，在波幅中取利。但由於波幅不大，IV 偏低，Long 倉只宜小注。技巧的運用是在於適當的時機選擇不同的行使價以配合主題，力爭繼續跑贏大市。

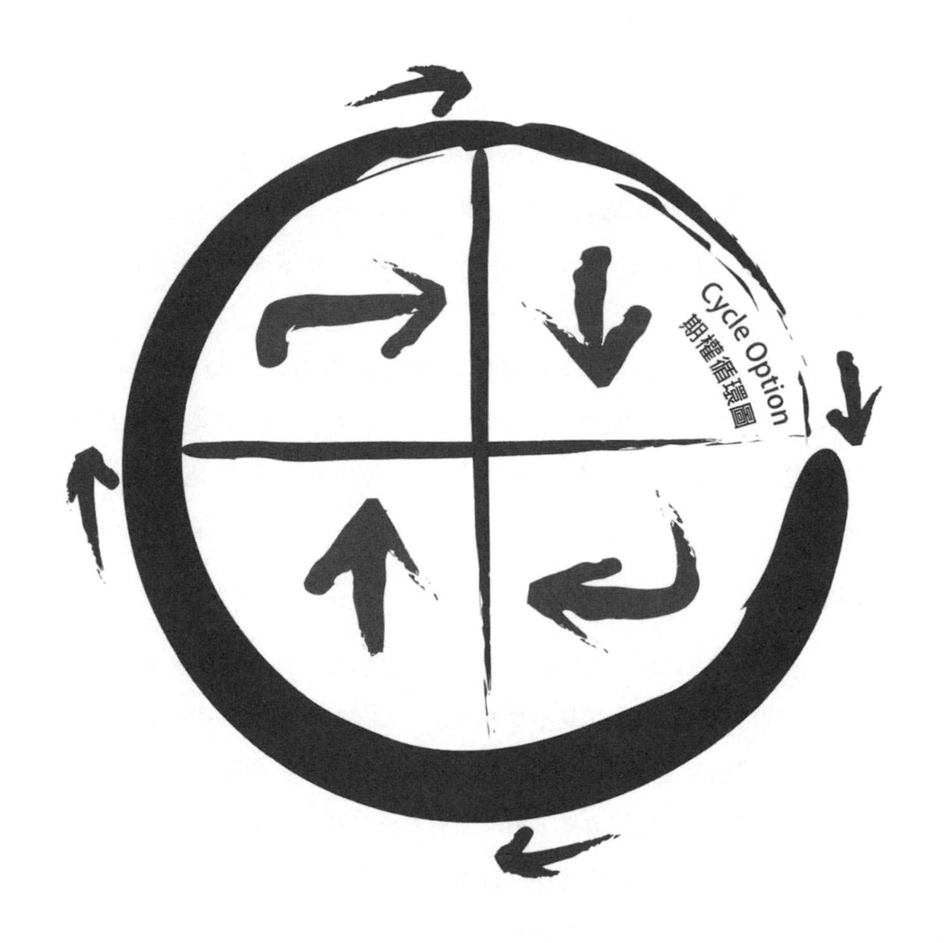

期權心理

2011

2011/01/14

金融亂象，這是看前金管局總裁任志剛的文章學到的。何為亂，為何亂，這是筆者反覆思考的問題。筆者認為：何為亂，就是不正常，沒有按大家可以理解的方法解決問題。為何亂，這是因為按正常的，大家都可以理解的方法無法解決問題。

若這種思維邏輯成立，亂象就是沒有按常規處理問題而產生的初步現象。如果這種初步現象長期化，亂象也就是新事物的自然現象。能製造亂象的都是政府行政手段，包括貨幣政策。作為散戶，我們為什麼不相信他們呢？短線跟進就是策略。

混亂之中看短線

去年，卸任不久的前金管局總裁任志剛在一個公開場合坦言，他從未見過金融市場目前如此之混亂現象。的確如此，我們可見不單是美國的 QE2，歐洲的債券，中國經濟發展和社會發展與金融市場相互之間的影響都令人感到無所適從。經濟學家對美聯儲的批評從未停止，但也不見有提出可行的方案，對歐盟更是大膽質疑，甚至為歐羅解體倒數。但鮮見經濟學家對中國經濟策略提出批評，可能是由於中國是目前最富有的政府，而且權力集中，批評都要有所顧忌。而香港證券市場較矚目的可能是出現人民幣計價的產品，屆時證券公司和客戶如何處理匯率問題，市場如何適應兩種貨幣的證券買賣，都是未知數。

2011 年，香港金融市場還有新的特點，不單國際級的對沖基金紛紛報到，本土各類型的基金和券商也都招兵買馬要大幹一番，反正資金便宜而且充裕，沒人想把現金留在銀行，人人都想在股票市場撈一把，希望在股市短線獲利的期待非常高。大家都知道，在金融市場做買賣都略帶賭的成分，但此時此刻的資金現況和心理因素令這種成分在上升，在升市中很容易出現亢奮現象，在跌市中又容易有恐慌現象。

2011/03/11

筆者在期權教室講Long Put時有一句：這是大量股票持有者必做的動作。

香港雖然稱之為世界級的金融中心，但也只是集中在股市，債市與匯市都乏善可陳，期權成交在股市中也是不起眼。可是在美國，可以用 Long Put 於債市，可見期權運用之廣泛，十分值得我們研究。

期權金＝金融保險金

宏觀看目前金融市場的風險和機會，應該是息率的變動。雖然聯儲局一再陳述，低息的環境還要維持一個較長的時期，但對不斷升溫的通脹火苗，各地的央行都在做好加息準備，因為大家都心知肚明，這是大量印鈔的必然結果。若聯儲局決定不與其它央行同步加息，那美元進一步走低難免。當然，伯南克去年接受訪問時已明確表示，若發覺美國有通脹的苗頭，他可以以分鐘計的速度作出加息的決定。最高財經官員有如此明確的表態，作為美國人，應該可以放心。

但是作為持有等同美國貨幣——港幣的香港人又如何？聯繫匯率在進出口業務蓬勃的年代的確令我們受惠，最起碼在最困難的時刻讓我們得到喘息。但今時今日，香港已迅速轉型到服務業（筆者認為金融行業也就是服務業，不單服務本港，更是服務內地及周邊地區），面對不單是國內，而是來自四面八方的通脹，估計本港的通脹只能看升，可是我們的港幣能獨立自行調節嗎？聯交所很快就要推出人民幣計價的股票，人民幣債券也將會在港日漸流行，我們是否可以想像一下，在不久的將來，在港人民幣流通量和港幣流通量的比例會是如何？若認為港幣是隨時可以進博物館的紙幣，那也沒有必要去討論聯繫匯率，自行調節等問題。我們不如花時間想想若主要央行調高利率，美國暫時不跟，我們的港幣資產會如何？若美國最終也加入加息行列，港幣資產又如何？因為這些都是今年可能會發生的事情！

香港是特區，不單是中華人民共和國的特別行政區，也是上文所講的特殊貨幣區，更是世界級的金融中心，具有獨一無二的特點，特別是現在越來越少以港幣收入為主的股票，我們是外地股票的進口商，輸入各種貨幣的股票但用港幣炒。身處這樣的金融市場，我們左眼要看利率，右眼要看貨幣，其難度可想而知。筆者因此也想起科斯托蘭尼所說：要像鱷魚一樣，睜著眼睛睡覺。

仔細閱讀了《信報》研究部導讀克拉曼（Seth Klarman）《安全空間（Margin of Safety)》的兩篇精彩文章，我們看到，克拉曼所擔心的是利率上升這個必然趨勢，那債券價格屆時下滑也是必然，若債券跌至無人問津，黑天鵝出現，災難就會開始。克拉曼也是價值型投資者，與巴菲特一樣，不斷尋找股票的價值空間，但他對前景的擔心有著知識分子憂國憂民的味道，與商人氣質的巴菲特顯然有不同之處。當然，他所想像的美元貶值，通脹失控，美債開賣無人承接的機會是極低的。他是從利率的觀點看風險，認為美債可能是觸發點，所以建議買入債券的認沽期權，也就是 Long Put 債券，付出的期權金就當買保險。

筆者在期權教室經常講，衍生工具本身大多數都是有博弈成分，也就是所謂零和遊戲（zero-sum game），期權亦然，但期權的博弈成分要比其它衍生工具為低。如克拉曼管理龐大的資產，Long Put 的目的是要令其資產保值，他是生怕市場上沒人為他承保，他所需要的承保者就是 Short Put 人。所以期權的 Long & Short 雖然有博弈成分，也是有市場供求之需，因此其零和成分低於其它衍生品。

雖然我們要面對利率和貨幣問題，但此時此刻筆者仍然建議提高現金比例，而且要有效地運用現金，用現金賺現金的機會，要比用股票賺現金高，因為在高手如林的金融市場，低於價值的股票難尋，大多數都是高價買入預計價值會上升的股票。克拉曼是 Long Put 買債券保險，而股票也是一樣，對於持有大量股票的投資者，Long Put 買股票保險是必需的。在這個過程中，現金持有者操作期權就扮演了一個巧妙的角色。

若從大市看，恒指波幅指數/VHSI（呼籲大家不要再用帶有負面含義的「恐慌指數」）可能會對閣下做決策有幫助，從 VHSI 的 5 年圖和 3 個月圖之中，我們可以計劃短線（30-50 天）的做法。簡單講就是將短期波幅區域定在 17-21，當大市接近 21，若 Put 位成交增，IV 漲，很可能是我們根據當時的時間值因素，果斷採用相應期權策略的時機。

2011/03/25

正如筆者較早前所提及：香港還有股票嗎？的確如此，我們的股市是「外向型」，我們的股市參與者是「外來型」，所以對世界上發生的大事，我們都要花氣力了解，也就是要保持虛心學習的心態。

期權算波幅　政策講一點

本欄兩週一期，上兩週的大事應該是日本仙台的 8.9 級大地震以及衍生的核電廠輻射洩漏事件。筆者翻查了 2008 年 5 月四川汶川大地震時本欄的文章，當時有這樣一段：「地震後第一天，筆者在網上文章建議大家 Short Put。理由是國家有難，我們不應沽出股票，而是採用 Short Put 策略，也就是說願意低價買進。筆者認為這也應屬愛國愛港，因為這是用一般散戶樸素的心態，從政治角度看股市。」

筆者對內地散戶常講：勤做分析也難準，緊跟中央政策一定準，買賣股票難獲利，理解政策無往不利！

筆者有此 Short Put 的看法是回顧了這二十年來大型天災對股市的影響，包括神戶大地震、美國的風災、泰國的海嘯，發現其結果都是刺激股市上升。我們當然不可能知道股市何時可以上升，但起碼可以認為跌不到那裏去，在『期權循環圖』（www.cycleoption.com.hk）中是『跌有限』，所以 Short Put。當然，四川汶川大地震是天災，但當時股市仍處高位，又適逢美國的人禍——金融海嘯，雖然是跌後持貨，但也要持貨一段時間才獲利。可是本月仙台大地震，日經指數已處於低位，所以 3 月 14 日大跌 14% 後迅速反彈。天災是可以克服的，所謂人定勝天，而衍生出來的核電輻射洩漏只是增添了勝天的難度，因為這是有人禍的因素。

筆者網上有文章分析核電和碘片，有文字如下：「……根據以上對核電和碘片的分析，筆者更是認為要持有好倉。根據人們情緒對事物反映的鐘擺現象，我們是否可以認為，當市面上出現搶購海鹽時，等於華爾街頭的擦鞋匠在談股論經。」相信上週持有期權好倉的朋友，本月應該有滿意的回報。

本週三（23 日）上午，筆者參加了香港科技大學二十週年校慶舉辦的「中國經濟發展論壇」。講者都是科大的前任教授及院長，如今都是世界級水平的中國頂尖財金人才，風度翩翩，語句充實，宏觀看全球，微觀看中港，有共同點，也有分歧處，演講內容十分精彩。發言都是英文，只有易綱教授（中國人民銀行副行長 / 國家外匯管理局局長）有中文的 PPT 文檔，他英文演繹得當然精準，而中文也頗有特點（在場的老外可能無法體會），就是講「一點」。他的題目是：多管齊下確保經濟平穩較快發展。其政策內容有許多個一點，筆者印象較深的有：「內需要擴大一點，對外貿易可以減少一點，工資和社保提高一點，匯率的彈性增加一點，物價減一點，增長速度放緩一點。」筆者稱之為「一點」政策，可見其目的就是一個字「穩」。也就是說 2011 年在整體經濟運行中，要用穩的手段，筆者分析，這種穩的手段很可能要實行到下屆總理上任。在穩的宏觀政策下，反映經濟的股市也只能是平穩發展，大升大跌都不符合目前的國策要求。若閣下認同此觀點，那也可以預計股市的短期波幅可能要收窄。

2011/06/03

這篇文章的心理分析十分值得各位參考，雖然筆者在描述自我，但請各位讀者，特別是中年人士，有過數年股市經驗的投資者，可與自己作比較，看看是否可以認同筆者的觀點。

價值投資 vs 期權操作

巴菲特以投資起家成為世界首富，他的投資理念是價值型投資，當然備受世人關注，市場上也不乏有價值型投資的討論。筆者對此的認知是：要在低於價值時買進，要有長期持股的心理準備，要在超出價值時沽出。環繞著這個值錢的概念，各種資訊因此而生，形成產業，其量之大，數目之多，速度之快，令人眼花繚亂。猶如閣下走進超市要買降價品，可能會發現大多數的貨品都是降價品，而你買的是良好的心理感覺（not buying goods but feeling good）。

今時今日，價值的發現和價值的消失，其變化的頻率會令閣下口瞪目呆。見有些散戶自行研究，其認真態度，實在令人佩服，但又經常會因為分析得太透徹，在大跌之時不敢買，大升之時不捨得賣。筆者經常問自己：憑個人的功力和資訊，自己的分析水平是否能達到大行一般分析員的水平？答案是否定的。再問自己：若發現價值，自己買賣的速度是否可以與市場人士相比？答案又是否定的。相形見絀之下，更不要説持貨能力和持貨時間了。還有一點大家一定會認同的就是：金融市場上都是人的行為，大戶和散戶都是人，在行為的區別上不應該相差很大，最大的區別是：大戶操作的是 OPM ——別人的錢（Other People's Money），而散戶則是操作自己的辛苦錢，這也是為何筆者稱科斯托蘭尼為偶像。

香港是一個富裕社會，見有文章指出，有做投資理財的人佔 59%，沒有的佔 18%，餘下的是無動於衷的。也就是説，社會上大多數人，有一定資產的人士，都持有股票，或有投資行為。

有鑑於此，筆者的建議是：明哲保身。所謂明哲，就是要時刻清晰自己的弱點；而保身，就是不要輸。明哲容易，如何保身？期權教室當然是講操作期權。

在 59% 的群體，應該有許多人會是持有現金，等待價值發現的買進機會，或者是此時此刻已持有股票（當然是指可以操作期權的股票），對這些人士而言，若懂得運用期權獲利應該是不錯的選擇，但一定要有隨時出貨和進貨的心理準備。我們可以看看恒指 3 巨頭：匯控 /05 佔恒指 14.58%，中移動 /941 佔恒指 7.33%，中人壽 /2628 佔恒指 3.66%。這 3 隻股票都是優質藍籌也是港人愛股，但目前都是處於下降趨勢，若要長期持股收息，就要忍受股價不濟的現實。但若懂得運用期權，就可以在持股的同時 Short Call 增加期權金的收入，或在等待買進機會的同時 Short Put，讓等待期都有其價值。若再具體些，簡單的方法可以看趨勢，筆者的建議是要閣下學會畫股價趨勢線和學會看期權引伸波幅（Implied Volatility）：股價在趨勢線上才 Short Call，在趨勢線下才 Short Put，這是考驗閣下耐性的行為（價值型投資者一般都很有耐性），至於到時 Short 什麼行使價，採用哪個月份，這當然要自行決定。再進階些，就是要掌握引伸波幅走高或突然升高時開倉，閣下的收入可能會更豐。懂得這兩招，賦予實踐，相信閣下的心情一定會保持愉快。

2011/06/17

第一次在華爾街用英文與高手過招，有些緊張，但總算互相可以溝通。能夠得到認同的關鍵是：高手們都是 Run OPM（Other People's Money），而本人是操作自己的錢。高手們要賺很多的錢才能分到表現費，但本人是除了賺到錢還賺到滿足感。

Short China?

上週，美股從 6 月初以來跌足一個星期，特別是週五的收市跌穿 12000 點，對許多市場人士都帶來一些負面的心態。適逢筆者上週在紐約辦事，在跌足一週的過程中，體驗了華爾街在負面消息瀰漫下的市場情緒。筆者參與了一個小型的私人活動，到會的朋友大多都是在華爾街工作的「竹升仔女」*，負面氣氛下，交談的主題當然少不了股市，包括 A 股，但只能用英文。對方先發問：

Q：Do you believe in the books of listed Chinese companies?

A：Of course not!

Q：Do you think the GDP of China can keep growing at 8% every year?

A：It much depends on how to calculate it!

Q：There should be much bubble in the property market of China, what do you think?

A：I do think so.

與 New Yorker 交手，要打醒十二分精神。一連串的問題之後，輪到我發問：

To cover all of that, I have to say, stock market is representing the Capitalism, and Capitalism is built on democracy and trust, but China is now without both! However...... Do you guys want to Short China at this moment? And how?

接下來的沉靜是預料之中。

其實，中國股市的防火牆要比各位想像的厚，憑配額進入中國市場的海外資金不可能對大市有大作為，也不敢有太放肆的行為，因為資金的流動基本還是在受控制的範圍內。所以，只要一個對應政策出台，就可以將市場的投機者打得落花流水。我們要清晰地認識到，A 股的升跌一定是靠內因，這是與做香港股市最大的不同之處。而 A 股的升跌有兩大因素，政策調控和經濟數據，但在這個半開放的市場，對市場的影響力，前者定勝後者。

而所謂看政策調控，也就是要發掘政策造成市場不穩定的機會，因為穩定是當今中國社會的主旋律，我們要發掘機會，做機會主義者。比如這次國內推國際版，這不是新聞，應該是舊聞，因為國際版早有安排，只是遲遲未見相關行動。本人的觀點是早些或晚些推出，對目前中國的實體經濟現狀沒有太大的影響，實在不必過急，特別是在股市偏低時，對股市不利，因為會攤薄資金池。此次宣傳國際版，造成 B 股暴跌，導致 A 股跟隨，這就是造成市場不穩定，也就是機會。估計國內跟著的將會是推遲國際版的推出，以求穩定，這也是機會。

What do you do in Hong Kong? 竹星又問。筆者當然是做期權，方法是在發覺會有不穩定時開 Short H 股價外 Call，並同時用收取的期權金開 Long Put，在回落期不斷平 Short Call 並根據時間的考量開有 Long Put 保護的 Short Put 倉。

竹升都是專業人士，聽後似乎頗為認同，並流露出欣賞的眼神。

* 「竹升」，即「竹槓」，因「槓」和「降」音同，美化為「升」。由於竹升節中空，借喻為於外國長大的華人仔女，心裏沒有中國文化的傳統思想。

2011/06/29

香港是個言論自由的地方，各種講座和學習的機會幾乎天天都有，要參與這些活動就要有參與者的水平。除了要自覺處理手機，還要學會如何問，所以筆者在教室講課就有提及：學會如何問，就是有學問。

會議內容精彩　細節仍需改進

本週二參加了《信報》與中國高等院校香港校友聯合會金融協會和香港中資證券業協會聯合主辦的「中國金融改革研討會」，講者是中歐國際工商學院經濟學和金融學教授許小年和中文大學工商管理學院榮譽教授任志剛先生。雖然是用普通話演講，但絕對是世界級的水平。許教授的敢於言，實在令人佩服，這也讓人們認識到這 30 年中國成功的因素，同時也看到中國會具有持續發展的動力。我們的任總個別普通話單詞咬字不清，立即請人糾正，雖然與許小年教授的觀點有異，但任總的分析有宏觀有微觀，言語精鍊，不寒不躁，一派大師級的風範。兩位講者的精彩內容實在令人回味！

可惜的是，在開會的過程中，台下手機鈴聲不絕，講電話更是不斷。更遺憾的是在提問環節，除了個別發問者用普通話外，眾多位人士發言前都要先説明只能講廣東話。其實，不論用什麼語言：廣東話、普通話還是英文，對兩位講者都不是個問題，關鍵是提問者要言之有物。筆者認為當日的發問者是三多一少：發洩情緒多、談感受多、浪費的時間多、實質的提問太少，導致主持人要幾番提示。當然，也見一位講普通話的聽眾提問，直接了當，一針見血，耗時只有 30 秒，講者的回答也是痛快。

香港是金融中心，各種會議繁多，主持人除了開頭要求處理手機外，結尾時估計也要事前強調提問的方法。筆者建議向記者學習，先做筆記，提問要對題，言語要達意，簡單扼要。

2011/08/12

要運用引伸波幅，就是要在該波幅明顯的高位或低位時開期權倉。本文當時是建議在大跌市中開 Short Put，這是要具備一定的心理質素才能操作，除了要對期權的原理要熟悉，還要對大市有理性的分析。此文是當時筆者的分析，分析後也有行動執行自己的判斷。

金融亂象中之期權策略

經濟學家對金融海嘯後的市場，形容為金融亂象。作為散戶，閣下可以做什麼呢？若跟著亂象的各種數據走，估計會苦不堪言，力不從心。筆者試從亂象的亂做分析，看是否有找到做期權的機會。

近期在股市搗亂的是美債，也是金融海嘯以來的大事，衍生出的問題也多。歐債跟隨，由於不同的國家會有不同的方法，問題的難度一點都不比美債小。此刻世界級的評級機構在歐美兩地都備受批評，這是被雷曼蛇咬後，目前怕草繩，還是本身結構有問題，這當然不是我們的分析對象，我們還是聚焦在債務本身以及此波可能帶來的期權機會。

美債限額此刻要在奧巴馬手上提升，只能說他運滯，要知道高額美債是從歷史上累計出來的，要提升實在不必大驚小怪，只是看當任的總統在任期能還多少，民主黨上任總統克林頓是交出了漂亮的成績單。評級降，可是市場上對美債相關的數據都沒有明顯變化，這已經說明了市場先生的觀點。美國作為大國強國，對世界的承諾已多，當然帶來的負面因素也多。雖然負債纍纍，但科技力量和軍事力量在可見的將來誰可相比？我們還可以從另一個角度看，若世界上沒有像美國這樣的大國，這個世界又會怎麼樣？筆者相信，只要軍費削減成功，還債不難。所以從違約的角度看，難以認同標普的降級行動。

歐債對歐洲人的影響，目前看來也只是歐洲國人減少度假，減少上高檔餐館，減少奢侈品消費，樣樣省點而已。這種社會現象非常好，因為人的慾望是無止境的，應該收緊，回歸人的基本需求，回歸自然。在這種樸素的生活狀態下，歐洲人可以對生活有更多的創意，也就是所謂歐洲文化，動力也會因成本低市場大而能持續。可以用目前國內房地產做比喻，若每家發展商都是建高檔房，但社會需求只是普通房加地鐵就足夠了，結果人們會高檔房買不起，而普通房沒貨，這樣下去房地產會出問題是必然的。此刻內地政府對此似乎缺乏規範，可能從政府的角度看，建高檔房和建普通房，對 GDP 一樣有貢獻。

中國的選擇：外匯有盈餘，作為外儲，不買美債，持有美元何用？轉買歐債嗎，估計英明的中央財經官員只會小注，意思意思，因為現實的各種利益，包括政治利益，回報可能應該是美債高。還有人認為外儲應該買黃金，這對目前持金者絕對是大喜訊，因為凡中國買的東西都會急升。不過，誰是全球最大的黃金儲備國，據聞老美是也。另外，若中國要買黃金以抗衡買債，要買多少呢，説不定要將整個南非買下。所以，要從根本上解決，就是中國要強大，要提升國力，但這絕不是看有多少艘航母下水，而是看何時人民幣國際化，人民幣像美元和歐羅一樣成為國際儲存貨幣，中國只需儲存自己的貨幣便可。人民幣目前已一籃子化，起步在通往國際化的坦途上，但漫漫長路。此時此刻，估計只能心平氣靜持美債。

有了以上的亂象之亂分析，筆者認為要有準備過緊日子就妥，不必過於緊張。若再看目前的 P/E 水平，根據恒生指數公司提供的資料，8 月 10 日的歷史 P/E = 10.58，延伸 P/E = 9.65，筆者的觀點是此亂象中對股票市場的影響已明顯到位。

目前面對的機會是股市的跌幅大，引伸波幅急升，恒指波幅指數 /VHSI 也升至其面世以來的高位，最高達 58.61。因此，期權策略可以是在引伸波幅 40 以上時 Short 指數價外近期 Put，因為見即月的 16000 Put 可以有 100 點以上，還有 20 天就有收成。若不願做風險大的 Short，也可待引伸波幅 30 以下 Long 股票等價遠期 Call，因為用小資金就可以做等價，主力藍籌在今年的日子裏應該會有不錯的升幅。這就是結合引伸波幅 /IV，時間值 /Time Value，對沖值 /Delta 等因素的期權綜合分析。

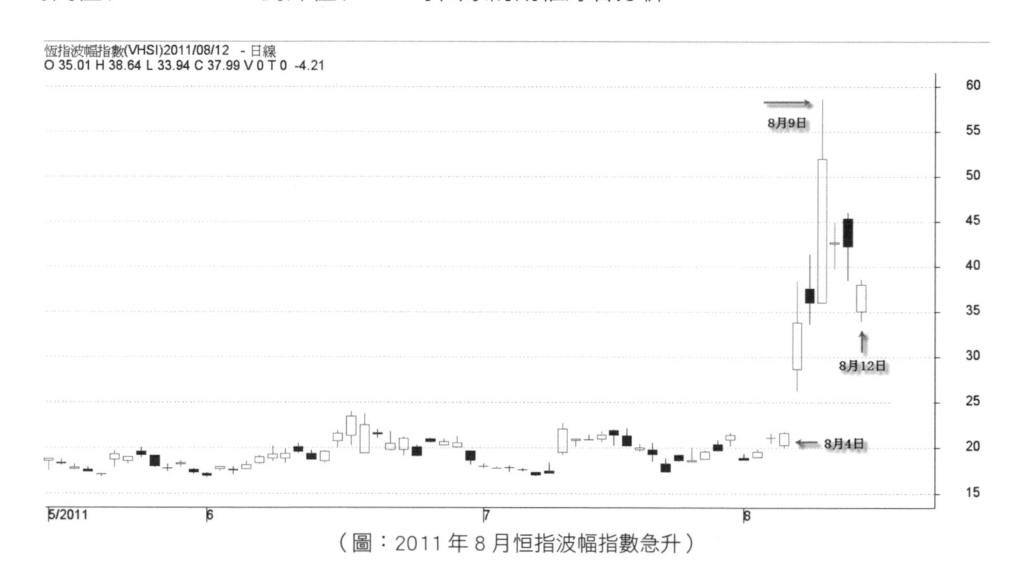

（圖：2011 年 8 月恒指波幅指數急升）

2011/08/26

在期權教室上過堂的學生都聽過筆者講這幾個故事。

巴菲特形容衍生工具是大殺傷力武器，但是他自己卻是運用期權的高手，特別是運用長年期的期權。2013 年是巴菲特的大豐收年，因為 2013 年美股反彈超越了 2007 年的金融海嘯高位，並進入牛市，他老人家的期權金全部變成利潤。

索羅斯 2010 年初在香港大學「與索羅斯對話」的演講中提及 Naked Short，這位神級人物講: "Naked short is extremely painful!"，神級人物如此言，何況我們散戶。所以，Naked Short 必須非常謹慎！

Pocket Money，這是筆者在堂上形容做股票期權的資金要求，的確如此，但若沒有充足的資金做後盾，結局會非常狼狽。據悉，2011 年歐債危機，在期權出現嚴重虧損的不是指數期權，而是股票期權。

此文值得各位細讀，因為這是港股恒指波幅指數 /VHSI 出世後至本書初版時（2015 年）的最高水平，達 58.61，有紀念意義。

指數期權 15+3　股票期權 3+15

期權是衍生工具，按股神巴菲特所形容，是大殺傷力武器。所以，我們操作期權，一定要將風險控制放在首位，原則上就是要在有對沖的條件下才進場。若沒有對沖，在期權操作中，最具殺傷力的應該是空頭 Short，也就是所謂 Naked Short（無正股 Short Call）風險最大。要控制空頭 Short 的風險，首先就是要控制資金的配備。科斯托蘭尼對資金的準備十分嚴肅，因為這是決定勝負的關鍵。

筆者在期權教室建議做這類高風險的指數期權倉位時要 15+3，做股票期權要 3+15。

指數期權 15+3，這個數字是來自 2007 年底，當時恒生指數期貨（大期）的按金是 15 萬左右，最高曾見 18 萬。期權教室建議開空頭 Short 最起碼要有一張期貨的按金還要再加 3 萬備用金，以此來制定持倉能力。我們以本月大跌 4 千點計，恒生指數 8 月 1 日開市是 22635 點，最高曾見 22843 點，8 月 4 日是跌市，收 21705 點，相對本月開市價有 930 的跌幅。在這樣的市況，若開 Short Put 20800 這個離本月開市價約 2000 點的價外 Put，當日期權金高 194/ 低 108，該行使價的期權按金是 43,100，當時恒生指數期貨按金是 69,300。

若閣下要持有一張空頭 Short，您要準備的資金就是 69,300 + 15,000（按 15+3 原則按比例算），約 85,000（3 萬備用金在按金下降後可以略減）。在表中我們可見 8 月 22 日，該行使價的期權按金增至 86,400。若閣下有充分的準備，保持 15+3 原則，用 85,000 守倉，等待有反彈時才採取行動，這樣才可避免被強制平倉。

日期	8 月期指按金	8 月恒指 20800 Put 按金	8 月港交所 150 Put 按金
2011/8/4	HK$69,300.00	HK$43,100.00	HK$700.00
2011/8/5	HK$69,300.00	HK$46,100.00	HK$700.00
2011/8/8	HK$69,300.00	HK$52,600.00	HK$1,200.00
2011/8/9	HK$69,300.00	HK$55,600.00	HK$1,800.00
2011/8/10	HK$69,300.00	HK$54,100.00	HK$2,600.00
2011/8/11	HK$69,300.00	HK$59,200.00	HK$2,300.00
2011/8/12	HK$86,800.00	HK$79,700.00	HK$2,700.00
2011/8/22	HK$86,800.00	HK$86,400.00	N/A

（表：2011 年 8 月時，8 月期指、8 月恒指 20800 Put 和 8 月港交所 150 Put 的按金變化）

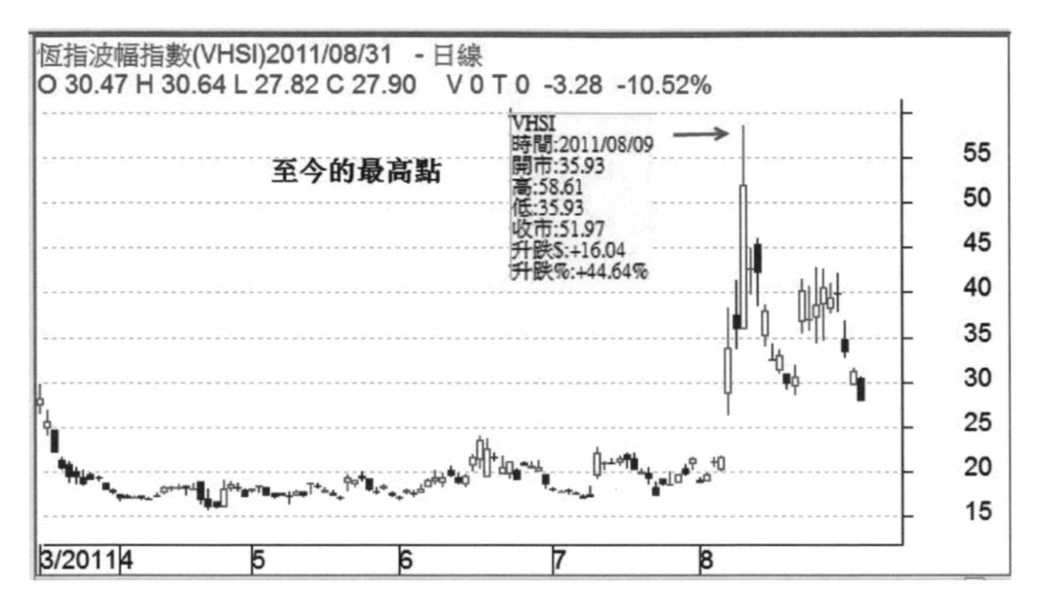

（圖：2011 年 8 月恒指波幅指數 /VHSI 變化陰陽蠋圖）

股票期權 3+15，這個數字只是說明指數期權和股票期權的相反之處。若閣下用 3 萬去 Short 股票期權，您可以做很大的倉位，因為股票期權價外 Short 倉的按金是可以很低的，但閣下必須有大量的資金在後頭，例如按金的 5 倍。若單從期權的按金看，我們可見在 8 月 4 日，港交所跌至 156 的水平，若做 Short 價外 150 Put，期權金高 1.52/ 低 1.04，按金只需 700。大跌至 8 月 12 日，該行使價的按金急增至 2,700，足有 4 倍之多。有證券行給港交所 /388 現貨的按揭成數可達 80%，也就是說 15,000 元一手的的港交所現貨你可以用 3,000 元買到。大家可見按金之急增已幾乎達到可以做股票 Margin 的地步，若對開倉的量沒有充足的資金準備，閣下一定會狼狽不堪。

8 月的按金激增有三個因素：其一是跌勢十分急，VHSI/ 恒指波幅指數突然上升，導致期權的引伸波幅急升，期權金也急漲，按金水平當然提高；其二是港交所在跌勢中為了防範風險，大幅提高了按金水平；其三是有些證券行在港交所提高按金的基礎上自行再加按金，在連番的因素影響下，導致 8 月的期貨和期權按金出現不小的風波。

2011/09/23

週期理論，見仁見智，這就好像波浪理論，每個人都會有自己的觀點，但即使閣下堅信處於什麼階段，在具體操作上都考功夫，特別是在漫長的上升階段和下跌的調整階段。筆者是只能學到科斯托蘭尼的思維方法，但無法學到他的操作方法。

我們處於雞蛋的什麼階段

筆者十分欣賞科斯托蘭尼的投機作風，他的大作也是每年都必定翻讀，還將他的語錄做成短片給大家欣賞。書中，他用雞蛋形狀描述股市的週期，這幅圖看上去很簡單，人人皆懂，可是筆者認為，若要運用得宜，絕非易事。從圖中可見，科斯托蘭尼將股市分為 6 個階段，他要求我們對大市必須要有觀點，所謂觀點就是要明確指出目前的大市是處於什麼階段，然後根據這個階段的特性，找出適合該階段的策略。這當然是非常理性也具邏輯的思維方法，但筆者認為在股市波動中，要對市況作出階段性的觀點，不但是要對股市具有豐富的經驗，而且對循環週期的時間要有自己的見解。

從恒指月線圖（圖 1）可見，這兩個月波動驚人。9 月 22 日的單日跌幅達 912 點

（做期權 Long 即月 Put 的利潤可觀），完全達到金融海嘯時的跌幅水平，當時恒指是從 32000 點左右，用兩年時間跌至 12000 點邊緣。這次跌勢從 25000 點左右開始，我們不知會跌至什麼水平，若跌至 12000 點也不足為奇，問題是我們目前處於什麼階段呢？是下跌的調整階段，還是下跌的過熱階段？大家不要忘記，半年前，各大行預測今年的目標最低為 25000 點，上兩個月匯豐才出報告降至 23000 點，是行內最低的預測。所以說，除了經驗，對階段的觀點還要有時間概念。

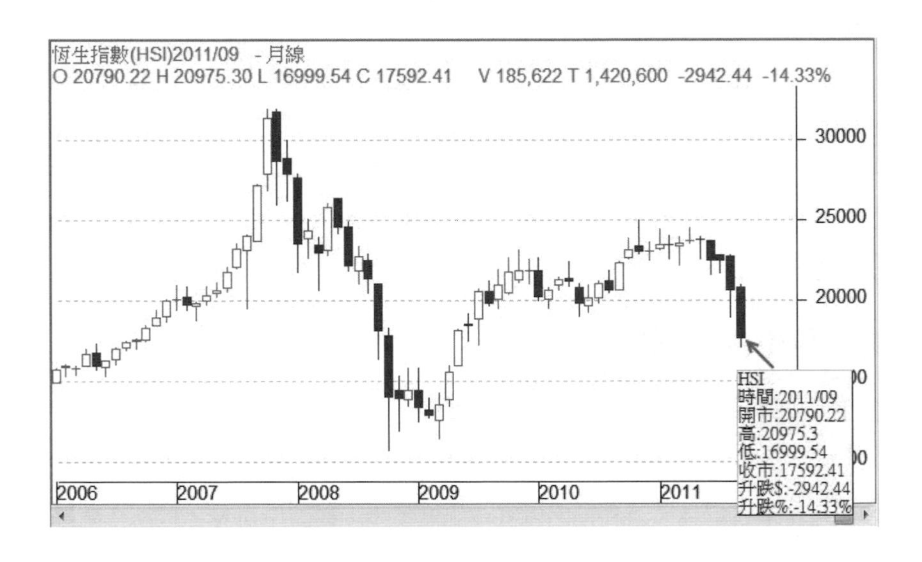

（圖 1：2006 － 2011 年恒生指數每月陰陽蠋圖）

牛三期和熊一期以及熊三期和牛一期（也就是雞蛋的底和頂的過熱階段和修正階段）是比較容易分辨的，因為這些階段時間較短，容易把握時間週期，市場的行為也較為明快，略有經驗都可以感覺到市場氣氛。但是在牛二期和熊二期，等待階段的時間可以非常長。若你的觀點是牛二期，策略就是逢低買進，等待牛三的到來。若觀點是熊二期，可能是逢高沽出，等待熊三的到來。但這些階段的市場行情都較為模糊，同樣的數據和同樣的消息可以產生不同的觀點，按科斯托蘭尼的説法是：股市不跟經濟表現走，不要驚訝。因此，在這種階段，會有可能出現牛熊共舞，令人眼花繚亂，無法辨認，再加上該階段的時期長，人們很容易產生患得患失的心態，損失也就經常在這種階段產生。

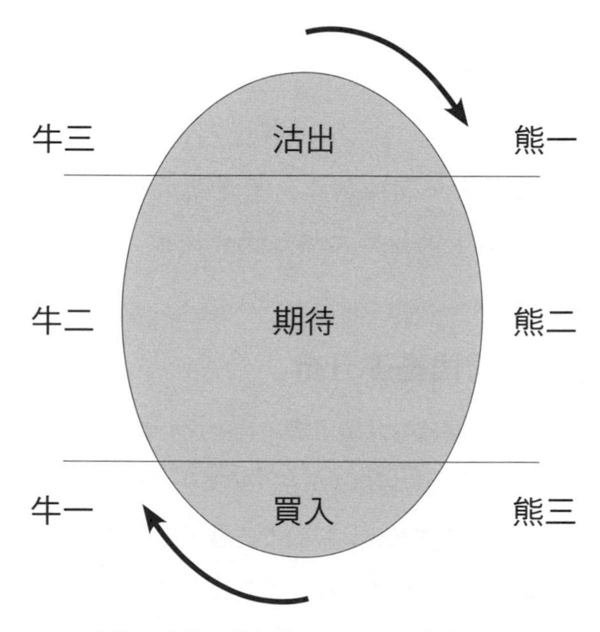

（圖 2：科斯托蘭尼的雞蛋理論與牛熊市關係圖）

由於階段不確定，時期也不確定，還持有股票的人和操作者應該要運用期權策略，最佳方法是保持一半現金 + 一半貨，或 2/3 現金 + 1/3 貨。做法是要先開 Short 略為貼價 Call，因為這是最有效的對沖，沒有心理壓力。下跌最好，先吃期權金，還可以開價外 Short Put，最多是用現金收貨，心裏早有預算，若跌後反彈，可以再 Short Call，吃多一回。若不跌反升，有被 Call 貨的機會，也無妨，瀟灑走一回，在略為低於出貨位開 Short

Put，重新買回。不過，此策略如何運用時間值和選擇行使價是要有多少技巧的。

大市氣氛極差，但筆者還是用科斯托蘭尼的名言結束此篇短文：股票是轉向堅定的持有者手上。

2011/12/16

『期權循環圖』是筆者早期的創作，筆者認為是可以成為一種給大眾使用的期權思維方法，若閣下能如本文標題操作期權，估計『三茶兩飯』一定無問題。

『期權循環圖』+ 技術與基礎分析

在期權教室講期權開倉策略時有八個步驟，其中之一就是要在圖表中先找出機會，然後再繼續關注和分析。我們在金融行業做分析，來來去去無非是技術分析和基礎分析。若閣下是價值型投資者，那一定是基礎分析的佼佼者，靠紮實的基本功，將一家公司解剖，透視，從上到下，從裏到外，分析透徹，看長線利潤前景。用完後的分析報告還可以在媒體發表，擴大影響力。但若閣下是習慣看圖，善於技術分析，那原則上應該是投機者，或者是趨勢操手，捕捉短線利潤的 Trader。在香港的期權市場上應該兩種人都有，大戶和機構投資者是前者，為自己長期持有的資產做對沖；後者則是散戶為多，追逐的是每月的短期利潤。期權教室的讀者，應該都是後者，散戶中的 Smart Trader，因此，策略的採用可以相當不同。

為什麼散戶的期權策略要技術分析先行，道理很簡單，眾散戶要獲取基礎分析信息的渠道有限，到手的資料已不知經過多少手，到手之時，通常市場上早已反映了相關的信息。圖表是反映現實市場狀況的，可見在圖表中找到信息的速度應該比獲取信息本身快。所以，期權教室建議的開倉策略是先在圖表中找機會，這是技術先行，小注第一步，基礎隨後，就是用自己掌握的市場信息檢測自己是否有錯。這種方法也會出錯，但起碼出錯的頻率不會高。

先講指數，由於恒生指數一般情況下都是外圍市場的反映，所以我們可以看道指。道指 12000 點是頗為敏感的位置，今年的升跌和牛皮都在此水平停留。12 月 1 日的大升市也是到此位後暫歇。兩週以來，道指在 12000 的懸崖站穩，雖然跌不下，但從保利佳通道和 MACD 也看不到上升趨勢。兩週以來，好消息不見增加，但壞消息有增無減，這種市況難以說服自己做好倉看上，用『期權循環圖』看道指就是處於『升有限』。因此，套用在恒指期權的最佳策略應該是做有保護的 Short Call，不然，要保持 Long Put 在手。我們再從基礎分析看，歐洲此刻不單是金融亂，政治也亂，社會也開始亂。大英離場，新帝崛起，歐羅跌穿 1.32 向 1.27 進發，實體經濟層面的動盪必然，除了印鈔，何以支撐資產價格？所以 Long Call + Short Call + Long Put 的策略應該不會出大錯。

再講股票，新世界（17）可能是藍籌股中最不藍的一個，圖表上看，是到了保利佳通道的底部，只是 MACD 略為好轉，P/E 已在 3 倍以下也有一段日子，用『期權循環圖』看新世界就是『跌有限』。執筆時 P/E = 2.70，股價 6.26，近期低位是 6.21。該股價在上月底本月初第一次跌穿 6.50 時，12 月的 6.50 Put 可以收 0.50 左右的期權金，若以接貨價 6.00 計 P/E 是 2.58。所以想接貨可以做 Short Put 6.50 收 0.50，不想接可以做 Short Put 6.25 收 0.25。我們再從基礎分析看開倉是否有錯，該股價從 11 月初約 8.00 的高位下跌兩成有多，股價低殘的原因主要是供股，不見得是該股的盈利出問題，此刻的股價已反映了供股因素，供股價是 5.68，若 6.00 接貨，風險也是十分有限，所以開 Short Put 倉不會有大錯，值得短線走一回。

各位可見，同樣是在一個時段，指數可以看跌，個股可以看升，這就是運用『期權循環圖』再加上技術分析先行和基礎分析隨後的巧妙之處，還有 7 個交易日見分曉，大家不妨留意結局。

2011/12/30

這是頗為宏觀的文章，筆者喜歡寫作，有靈感會下筆。有了宏觀觀點，在執行微觀交易時就有了邏輯基礎，思維也就更具體。此文一連兩篇，跨越年份。

2012 政治年的期權觀（1/2）

今天是今年的最後一個交易日，想對明年初的期權觀點提出一些看法。2012 年是一個政治年，美國大選，中國換屆，香港亦然（不知所謂）。當今的政治人物也都是市場化，銷售的無非是對未來的希望，但絕大多數都是以失望告終。因此，市場對政治人物的衡定，一般也習慣了不會以下台時做定論，而是看上台時的銷售成績。

反恐戰爭，美國國力開始薄弱，但在科技、人才、軍事這三方面仍然是執世界之牛耳。美元在國債的壓力下被全球看淡，但又有何種貨幣，不要說取代，可以參與全球定價的遊戲？所以筆者將美國看成是處於療傷期的足球名將，市場期待球星復出，大家有好球看。所以不論是任何政黨上台，基本面不會改，所以可以持有略為樂觀的態度，瞄準『跌有限』。這段療傷期不單是等待復甦，還要面對改革，佔領華爾街正反映社會的深層矛盾，美國的政治家們一定會運用，若華爾街從道德的角度在某種程度上接受改革，是造福美帝的好事。

今年歐洲是焦點，明年也是。大英退場（97 年前在香港生活和工作的人都會對殖民者精密的思考有體會），法銀債深，造成德國老大的政治地位越來越突出，形成趨勢。這是一次不用「機械化部隊」和「閃電戰」就可以征服歐洲的機會，何況還是由一位在歐洲唯一沒有軍事力量的女「元首」統帥（她還是在東德出生的戰後嬰兒）。要各國使用歐羅，就是廢了「諸侯」印鈔功力，要接受歐央債，就是限制了「諸侯」花錢權力。「諸侯」知道，一旦失去，不易取回，即使重獲，代價也高，但是現實就是要接受和屈服。輝煌的歷史都是被創造出來的，回想起 90 年代兩德合併，西德政府不理會西德人的鼓噪，堅持以 1:1 的匯率統一東德，並説明要痛苦 10 年見成效。筆者當時正在德國小住，身歷其境，今天回想，有哪位日耳曼人不服？以此經驗重振歐洲，機會正在眼前。由於會是 EU-v2（歐盟第二版），歐洲大變的可能性存在，有『大升』或『大跌』的機會，故要持謹慎投機的態度。

中國在五彩的光環下被讚美得飄飄然，但其實有可能是下一個影響全球的風暴的風眼，當然沒有人願意見到這個風眼張開。不要以為國內 GDP 可以保持 8%，就能掩蓋各種社會問題，超高速的發展令社會產生的畸形現象還在不斷地衍生，即使換屆也不會有改善。矛盾總是從量變到質變，質變就是突然變。所以，若有長期難以解決的社會問題出現蔓延的現象，就要迅速撤退。不過，市場目前已在反映現實狀況，逼不得已的政策出台不足為奇，但興奮後又是到了『升有限』。

香港目前只能維持，難有進步；不願低頭，也難抬頭。這就是從特首到市民，包括富豪，都要面對的現實。若當年能以特殊地區與世界各組織開放門戶，今天的光彩，是明珠；但今天是中國眾多城市中的一個城市，也有光彩，不過是遺珠。明年也是本港的政治年，從本港人口計，政黨之多，更新之快，可能全球稱冠，似乎十分熱鬧，不知是否能形成產業去推動多少 GDP。但對本港政治，應該只尊重自己在真正普選中的投票。

總結 2011 的期權操作，不少朋友都是賺 10 個月輸兩個月，當然是輸 8、9 月，但將全年的利潤輸盡。主要原因是認為歐債是主權債，對股市的衝擊有限，所以用守的策略，導致敗局。明年新的焦點說不定會發生在我們身旁，要有前車之鑑。往下看，港股 16149 點是一個底，是一個 Short Put 位指標，越是遠離，越是放心，一但接近，就要小心。往上看，難以定位，因為記得科斯托蘭尼所講：政治是扣動股市上下的扳機。由於政治的因素，股市也可以出人意表。

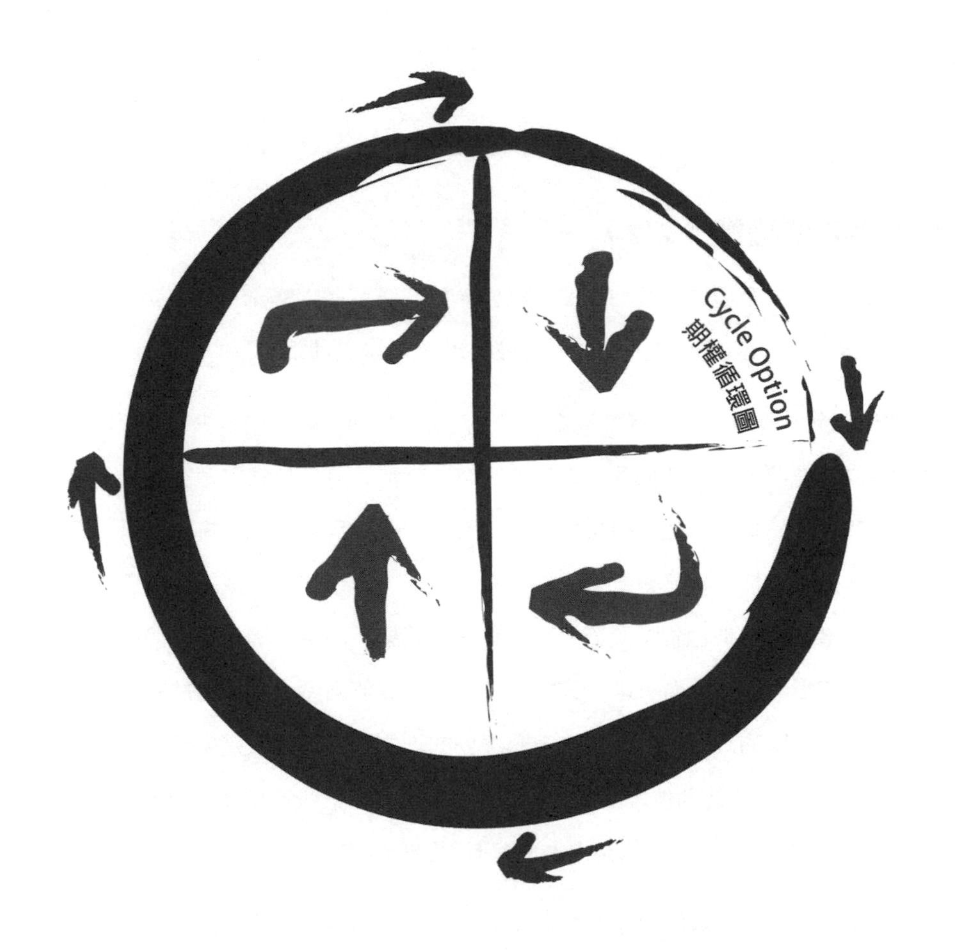

期權心理
2012

2012/02/10

此文連接去年的觀點寫續。

2012 政治年的期權觀（2/2）

本欄去年底有一篇文章題為：政治年的期權觀。簡單講就是：Short Put USA、Long Call/Put EU（= Dax）、Short Call China（= HSI）。今天是寫其續篇。

2012 年伊始，全球股市上升，但以美國為最。美國此刻的樂觀情緒多少帶有大選年的政治荷爾蒙。為了選票，不論任何政治人物，此時此刻都只可以帶領群眾往好的方面看，上次「黑馬克思」是推銷改變，這次會是推銷希望，導致氣氛舒暢，憂慮降低，情緒高漲。我們見無人轟炸機已代替傳統戰鬥機在航母上落，美帝的戰爭成本大降而保持同樣的戰鬥力，軍事科技的地位獨領風騷。港人對美國蘋果不陌生，蘋果香又脆，但美國的蘋果品牌更有市場。美國養育天才，天才創造價值，價值回饋大地。由於有軍事和科技兩大強勢在手，美國的政客大多都是自信心爆棚的人物。在這種大選氣氛下，道指今年試敲 14000 點，2007 年的高位，不奇。但這種只升不調整的股市則要小心，若有某事件觸動調整扳機，跌勢會十分快，因為人人都有獲利回吐的本錢。

歐洲此刻在進行一場無硝煙的戰爭，希臘拉開序幕。歐洲傳媒有這樣的形容：希臘是歐羅的第一個犧牲品。希臘的官員也大聲疾呼不要讓希臘成為歐羅的第一個受罪羔羊。但可能嗎？一場戰爭怎麼會沒有犧牲，犧牲就是戰爭的代價，沒有犧牲也不會有戰爭的勝利。也就是說，歐羅不崩潰，歐盟不解體，就是勝利（筆者認為如此），那犧牲品是必須的，我們只能期待不要有太大太多的犧牲，犧牲的面積越大，戰後的衰退期就會越長。歐洲的衰退今年起步，具體説是本月進入落實階段，接受「拯救」的「國家」，在每一個環節，每一個政策的執行位置都在歐盟的監管之下，我們可以預計，將來會有文章形容：國家是「佔領區」。我們也要想像一下，希臘整體工資將要減少 22%，還有一系列的艱難改革和財政緊縮計劃要實行。這段衰退期，社會上人們的情緒會是如何，我估計可以用恐怖兩字形容（"a dreadful year"）。

相比內地，中國的情況當然比歐美勝一籌，這是拜託有社會主義特色的市場經濟。中國的 A 股無疑是處於低位，但筆者想：中央領導人如何能令樓價回落，而股市升，工資要加，但通脹不升，這是頗考功夫的宏觀經濟政策。中國人口之眾，面積之大，若按老子之曰：治大國若烹小鮮。也就是只能細化不能粗放。筆者不認為內地會催谷股市，因為國企上市上得七七八八，民企名聲差，股市此時對 GDP 的貢獻也是有限。另外，今年是成本上升的年份，企業是否能維持以往的利潤也值得考慮。

現在是提出要消費帶動經濟，令筆者回想起 80-90 年代在廣東道返工時，目睹日本紳士和貴婦的氣派，連北京道一帶的酒吧都是改日本名，不懂幾句日文在廣東道顯得有點不入流。今天的廣東道筆者只能收筆，建議各位親臨體會，只是還未見許多酒吧採用內地城市的名字。但當年日本的 Big Spender 是帶動了經濟還是體現經濟開始要走下坡？若閣下認為我們將面臨在衰退期的生活，市場氣氛會逐漸反映出來，用謹慎兩字控制自己的市場情緒是必要的。

2012/06/01

筆者建議做 30-50 天的期權，也就是即月、下月、或再下月，這是綜合了期權成交的活躍程度以及一般散戶能承擔的風險而定。另外，由於港股是十分看外圍因素的股市，所以我們一定要有環球觀，這樣在香港操作期權會較有信心。

跌市後的六月期權策略

"Sell in May and run away"（Frandix 把其翻譯為「五月清倉，遠離風浪」），恒生指數上月是充分演繹了這種説法。恒指 5 月開市 21245 點，最高見 21385 點，最低見 18378，收市 18629。高低波幅有 3007 點（21385 - 18378），跌幅也有 2616 點（21245 - 18629）。造成這樣的跌勢當然是希臘引發的沉重歐債，以及弱不禁風不斷下跌的歐羅導致。

要救希臘，就是要有錢，歐盟有錢嗎？當然有，不但有，還有印錢的本錢，也就是説可以根據需要印。所以，救希臘的核心是希臘是否能守規矩。筆者 90 年代曾與一些希臘商人打過交道，他們個個都是樂觀主義者，浪漫的人種。筆者不相信大多數的希臘人會選擇脱離歐盟，因為若是，在歐洲歷史上會給希臘人一個負面的記錄。所以，筆者相信最終都要在不同程度上接受緊縮政策，再配合歐盟在各方面政策性的支持，用時間讓債務問題慢慢解決。本月中，希臘再度選舉，理性的聲音應該會是主流。

中國的經濟也難獨善其身，在接連不斷的壞消息中，不停釋放正面的微調政策。雖然這些政策與當年的 4 萬億無法相比，但我們也不應該期待有 4 萬億的翻版，因為其副作用實在厲害。以中國政府今天的執政能力，要做事的本錢很多，只是應不應該做，什麼時刻做，力度如何。本週內地的保險股大升，有消息説，企業支付保險的開支可以減免税收，也就是保險費是企業成本。中國是「萬歲（税）」國，税收減免多少十分應該，而且會帶出正面的社會意義。

昨天是 5 月的最低點（18378），但成交大增至 765 億，是近期最大的成交升幅。大市跌穿 18700 點的支持位，是跌穿位，但承接力甚強，説明在此位有些跌無可跌的味道。筆者難以理解的是：5 月歐美股市也是下跌，但都沒有跌穿位，唯有香港股市跌穿。是香港股市 P/E 偏高（恒指目前 P/E 9.5 左右），還是歐美比香港更便宜，或是有其他因素？若都沒有，只是市場的情緒反應導致，那在下一波的反彈浪中，港股就會出現升幅多於外圍的現象。

6 月本港的大事是 7 月 1 日的大典，目前候任特首梁振英的人氣不旺，十分正常，因為沒有顯赫的背景和錯綜複雜的官場人脈。但本港此刻需要的是有魄力，能被認可的政治人物，有抱負主動地做出成績，希望一展所能的人，不是單只有能力，被動地完成一份工作的人。中央若要幫一把，搞好氣氛，絕非難事。

因此，本人在期權教室的建議是：在 5 月開 Short Put 要接貨的朋友應該安排資金接貨，重點可以是在內銀和真正具有香港特點的股票，迎接 6 月可能出現的反彈。

2012/07/13

這是一篇頗為令人思考的文章，值得各位細讀，特別是中年的朋友們。

若能與〈回歸十年　笑談風雨　再看中產〉（文章收錄在《期權 Long & Short》第七章〈心理花絮〉內）一起看，更有味道。

50－15 繼續 Short Call Hong Kong

編註：由於本文也是本書附錄〈從黑格爾哲學看香港前途〉哲理文章的後記，為免重複，請有興趣的讀者移至本書的附錄閱讀本文。

2012/09/21

做分析有時不能太理性，因為市場就是不理性。合理的價格也不可能保持太長的時間，正常的價格現象不是過高就是過低，這樣才能形成市場。期權的優勢就是可以低於現價買，也可以高於現價沽，各種機會一定有，只是看閣下的觀點如何。

雙「無」期的 Short Put & Long Put

央行無限量買債，聯儲局無時限寬鬆，筆者稱之為：雙「無」。此雙「無」政策令整體資產價格富貴逼人來，但要支撐的實體經濟卻只能繼續呻吟。

人們預期通脹要來臨，認為買樓可以保值，資金湧向樓市，導致樓價不斷上升，在需求量大增的市況下，樓宇更顯供應量不足。筆者實在不明白，為何剛上場的梁振英不能趁樓價高，立即推出較大規模的居屋計劃，令真正需要房屋的市民有期望，有動力努力工作，去實現理想。這才是創造正面社會效應的方法，贏得普羅大眾掌聲的絕好機會，要比搞什麼五花八門的調高買房條件（各種招），實際得多。

人們預期不斷放水，股市隨之大升，太多平時懶做功課的散戶又在蠢蠢欲動，認為此時此刻可能有機會在股市撈一把，又懷著博的心態進入市場。今天要在股票市場賺錢要比過往難得多，因為許多資本主義的經濟理論都在失效。資本市場應該是企業家說話的地方，但現實是成為政治家的舞台。如此複雜的股市生態，普通散戶能賺到錢，只能靠運氣。

雙「無」中真正得益的，應該是擁有樓房的人士以及懂得在股市炒賣的專家，他們都不屬於實體經濟；而屬於實體經濟的普羅大眾，則難以在這種雙「無」市況中受惠。相反，實體經濟中的普羅大眾可能還會受害，因為在銀行的存款因通脹而縮水，儲蓄值在下降。而在勞工市場上，由於失業率高，人工只能保持現水平，難以要求提升。另外，普羅大眾也會察覺到百物騰貴，自然會謹慎消費，前景不明朗，更要緊縮度日。

雙「無」的目標是穩定實體經濟，其焦點應該是環繞失業問題。失業問題是資本主義的副產品，是市場經濟難以解決的問題。1929 年的美國也是在長期失業，市場無法在所謂資本主義可以在自行運作中復甦，導致出現了經典的大蕭條。我們更不能因為這是資本主義的必然現象而掉以輕心，因為納粹德國的崛起，也有高失業率和高通脹率的背景。

雙「無」希望達到的最佳效果，應該是令企業增加投資，因為股票有價，企業投資擴充會進取些，可以僱用更多的員工，幫助就業。可是，若預計在實體經濟中的消費動力難以提升，人工難以增長，企業又怎麼會增加投資，擴充產能，聘請人手？今天生產力過剩正在中國蔓延，這是典型的資本主義社會必然會出現的負面現象，而中國「有特色的社會主義」卻是加速了這種負面現象的到來以及加深了這種現象的負面影響。

用部分資金和利潤考驗自己的眼光是做期權的樂趣所在，也是期權教室所提倡的投機方法。今時今日，用基礎分析看個股，憑個人的能力，成效非常有限，只能從宏觀入手。基於以上的分析，筆者認為應該在雙「無」期的回落階段 Short Put 眾人之愛地產股，在此刻可以開始 Long Put 保險股。有些觀點認為目前的保險股某種程度上反映著可能會見底反彈的內地股市，但這種對內地股市的期望只能建築在政策層面，難以形成市場共識。這些保險股份持有巨額現金，體積龐大，此刻要在投資市場呼風喚雨不易獲利，銀行定期又會輸給通脹，正處於進退兩難之格局。

2012/11/16

港股是頗受外圍影響的股市，研究外圍是我們的標準動作，筆者曾經講過，我們是左眼看美股，右眼看 A 股，操作港股的疲勞程度要比其它股市高。可能正是因為如此，香港金融從業員的水平一般都見得人。

老美大選和中共十八大

前幾週講股票，本週講指數。進入第四季，外望是寄託美國大選，QE 再放，內望有中共十八大，利好政策一定會出台，自己望自己是見熱錢湧港，勢必推高股市。在這種全部都是人工型的市場氣氛下，恒指破關而上（今年 2 月的高位 21760 點），最高已見 22149 點。若再下一城，就會是去年 4 月的高位，約 24000 點的水平。恒指到 24000 點貴不貴？若按傳統的 P/E 計也不貴，21000 點約 11 倍，24000 點也只是 12.5 倍，按教科書的講法，還是在買進的階段。但問題是我們目前所處的香港市場，還有多少香港價值，是否可以簡單地用 P/E 去制定我們的期權策略。論及熱錢訪港，但見成交有 700 億的只有 3 天，有何熱？香港是錢的傳統集散地，一向會來去匆匆。

奧巴馬連任，港股當天下午大升 155 點，可是美股當晚大跌 313 點，有如此之差異，這可能是說明了港股政治智慧的水平，不知香港的政治人物是否也是如此。筆者認為，既然股市上升是因為大選，那大選後要拆背景板也是必然的動作，只是沒想到拆得如此之快。其實，即使是對手共和黨人上台，背景板也會照拆，股市的表現也會一樣。鬼佬講："What goes up must be down."（當年梁財爺翻譯為：「有咁耐風流，就有咁耐折墮。」）若是，我們看美股就可能要看大選前的股市水平。奧巴馬要和共和黨討論 fiscal cliff（財政懸崖），各位可以按科斯托蘭尼所講，運用想像力，認為會有什麼結果，股市會如何表態。筆者的想像是雙方大選後握手言歡，但無結果，因為無結果就是最好的結果。若有好的結果，估計老早就搬出來幫助競選，不必雙方輸贏如此險情。

中共十八大，新人上場，十分正常。但為什麼新人就一定會有利好的刺激政策呢？新人的主要工作應該是對過去的糾正，而不是急忙推出新政，好的新政應該是在糾正的基礎上自然產生。特別是改革開放已有三十多年，市場經濟正在走向成熟，領導亦然。筆者認為，此時此刻的中國應該推出的不是過往粗放型的宏觀政策，反而是穩定政策、細化政策、微觀政策，用時間培養內需。再推出刺激政策會令累積的負面現象加劇，增加不穩定性。因此，目前平穩和諧應該是主旋律，在這種氣氛中，股市有上升的空間，但升幅會是有限。

2012/12/14

港股日益受A股影響，這已是老生常談。期權操作，筆者較為傾向看Raw Data，成交就是典型的Raw Data，從成交分析市場情緒，這是科斯托蘭尼推薦的方法，但這種方法運用在A股是否可行，則要時間驗證。

考驗A股的V型反彈

港股日漸受A股影響，A股上月跌穿2000點的心理關口後反覆回落，一度跌至本月4日的1949點，收1975點，是近期的新低。但第二天，本月5日，A股在大成交配合下突然報復性上升，當日大升56點，一舉升至2031點，緊跟著新領導發布新紀律，重溫偉人南巡，令A股本週升抵2088點。似要一舉升穿2150點，形成轉勢之形態。

見圖，我們先回看A股如此大升的表現。今年9月7日，A股大升76點，之前一日收2051，當日收2127，最高升至2145，也是有超大成交配合，當日的市場輿論是：2000點是底，不會跌穿。可惜的是未到月底，A股又繼續下滑，9月26日首次見1999點的心理數字，收2004點。到了第二天，9月27日，也是在大成交的配合下，A股大升52點，當日收2056，當時的市場輿論是A股觸底反彈，A股也一度升上至2138的水平。但可惜的又是近期的不斷下滑，穿2000點後未止，一直跌至1949點。

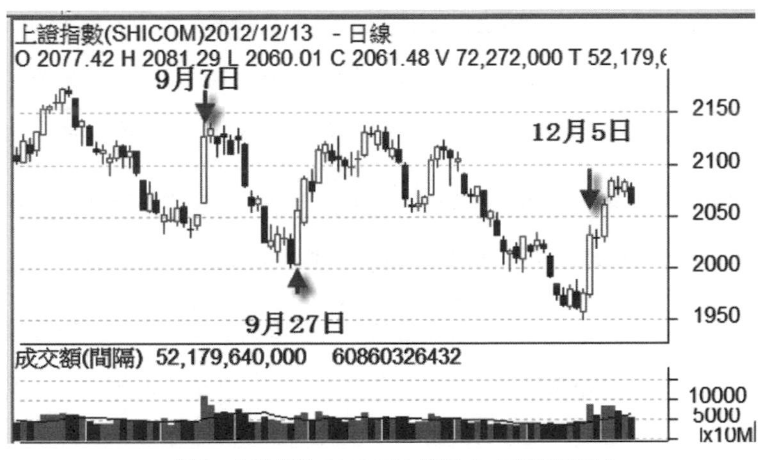

（圖：上證指數 2012 年 8 月至 12 月陰陽蠋圖）

分析這 3 次有大成交的大升市，前兩次都是鎩羽而歸，未出現預期的效果，反而每況愈下，這次又如何？昨天 A 股下跌 21 點 /1.02%，在升勢中的回調十分正常，但導致此次報復性上升的基本因素必須保持，若升勢的基本因素遲遲不出現或預期不會出現，那 A 股大有機會再次下敲 2000 點，若是，我們不要感到驚訝。

這次升勢的主要因素就是市場期待新領導有新政策，會對過去作出改變，但目前看來，主旋律是反腐敗，對經濟政策還未見明顯的刺激措施。筆者的觀點是難有真正的改變：因為中國之大，不但南北有別，東西有別，沿海與中部有別，而且人文精神也日益個體化，落實政策的難度不斷增加。所以，保持平穩基調可能是更佳的選擇。

A 股的積弱是長期形成的，甚至可以說是 A 股的形成機制造成的，不進行深度的改革，難以令股民重拾信心。突然的大升市配合大成交，當然是有國家隊出面，但若國家隊不保持成交，維持市場氣氛，升勢也是難以持續的。

中人壽（2628）是 A 股的訊號股，該股近期的表現似乎在告知各位，前景並非十分樂觀。反而內房節節上升，因為內房產生 GDP 的功效要比內險多得多，捨我其誰？目前對股市上升的動力不是需求旺盛，企業要擴張；不是科技突破，企業盈利增；而是錢太多。

再看 H 股的指數期權，雖然即月期權成交大，但都是全年累積而成。反觀 H 股明年一月的期權成交則非常稀疏，也就是說市場人士對明年還沒有明確的觀點。

要形成較為堅實的反彈，通常要在低位有一段時間的整固，也就是讓買賣雙方充分交換，整固期越長，反彈的堅實度越好，股票逐漸流到了堅定的人手上，在股價上升時也不會輕易沽出股票，形成股價上升時買多賣少的現象。而 V 型反彈一般是某種特別的因素導致大跌後而出現的，或者是各種負面因素突然被掃除後出現的。此次 A 股 V 型反彈的內涵，可能要接受市場考驗。

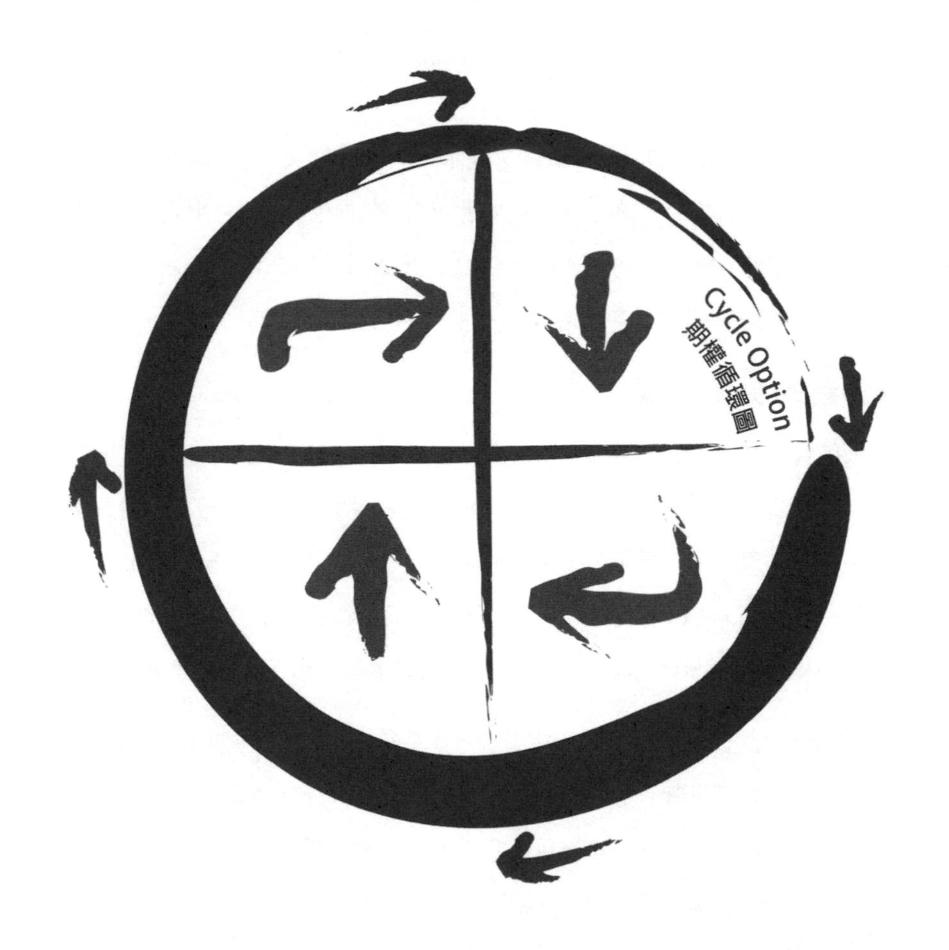

期權心理
2013

2013/01/25

筆者喜歡用期權的觀點『期權循環圖』看問題，此篇文章是講香港的房屋政策，目的是引發讀者思考，各位也可以運用這種期權觀，延伸到其它領域。在這方面頗為突出的是在《期權 Long & Short》第五版為〈中國篇〉寫序的深圳劉先生，各位有興趣值得看看。

從時間值看特首的房屋政策

世界各地的樓價對普羅大眾的生活都會有影響，但絕不如香港般嚴重。早前，筆者見樓價急促上升，明顯超越 97，覺得已有些瘋狂，故建議客戶不要買樓，但可以用買樓的現金做期權，這樣做的原因是：風險應該小於買樓，回報則應該大於買樓。按期權教室堂上所講，有現金主力 Short Put ！當然，Short Put 是賺到期權金，或 Short Put 收貨後也有近期股價上升帶來的利潤。但若我們將恒生指數與樓價指數相比，實在是有感汗顏。

不過，目前的房價如此之貴，筆者認為實在不能怪當今特首，要怪，可能應該「問責」上任！但「問責」上任又是否正確？筆者認為也不對，因為上一任特首之所以可以上任為特首，是因為當時的輿論認為首任特首推行「八萬五」政策，導致樓價大跌，負資產問題極為嚴重，所以是在民怨沸騰下上任的。因此，上任後當然是推出各種保護樓價的政策，等於是開 Short Put，保持樓價易升難跌。最為有名的「孫九招」更是得到地產商連聲叫好，連賭王都講要向孫公叩頭，為官的當然也不會差。但作為特首是否應該具備當領袖的前瞻眼光和承擔能力，可能又是另一回事。

但回頭看，是否「八萬五」的政策有問題，導致樓價下跌？其實又不是，當時的房屋政策完全是正確的，從香港整體看絕對是正面的，也是得到中央的認可和支持。遺憾的只是推出的時間拿捏得不好，推出之時遇上亞洲金融風暴，跟著香港又出現沙士，某種意義上講是：香港運欠一籌。從期權的觀點看，政策的推行，就是開 Long Call，但開 Long 對時間頗為講究，要拿捏得好，另外，還要有多少運氣，若兩者都不順，只有止蝕離場。

今天，我們經歷了一個樓價大低潮的痛苦，目前又進入一個大高潮的苦惱。但從正面積極的角度看，此時此刻是處於一個極佳的歷史時段開 Long Call，政府的公屋策略，特首梁振英可以一展所長（他也是當年「八萬五」政策的參與者），及時制定出能造福真正香港市民福祉的政策。這次的施政報告中，房屋政策佔了頗長的篇幅。但可惜的是，當今特首是帶着僭建問題的負面形象上台，社會給特首施政報告的信任度大打折扣（筆者認為美國人可以接受克林頓和萊溫斯基，香港是否也可以容忍僭建），輿論負面多，正面少。

這次施政報告數次提出：不可能取得整體社會共識才實行政策的觀點。筆者是用掌聲回應並同時認為，這是有作為的領袖所具備的前瞻眼光和承擔精神。基於上述的負面因素，若從正面看，我們還應該帶著有時間值的觀點看，也就是説要相信施政方案能按部就班地執行。但是，若在未來的半年，各項政策還只是停留在反反覆覆的可行性研究階段，各種文件還是不停地來往於各政府部門之間，那就是此任如同上任，只求做好這份工，繼續消耗寶貴的香港時間值（只有 50 年）。若是，今年這份施政報告的房屋政策就是典型的「假大空」，也是香港的不幸。屆時，出現更大規模的上街遊行，要求特首下台，不足為奇。

此刻時間對，此時運又如何？可以肯定的是在未來的日子還會有金融風暴，若 2015 年開始出現加息，屆時的環球經濟還是艱難，中國增速放緩，房地產會呈現週期性下跌，負資產也會再次浮現。但不必為此而擔心，屆時我們一定比上次聰明。

2013/03/08

在投機市場女性的表現是特別突出的，當然包括賺錢和蝕錢。這可能與女性為人做事的專注度有關，本文提及筆者 2012 年在《信報財經月刊》曾有"剩女"文章探討過女性特徵之專一性，此文也收錄在此書的結尾部分，有興趣不妨一讀。

另外，筆者提及 Short Call 中人壽 250 張的這位女士「精明到每次用手續費計算收期權金」是貶義，《信報》編輯加的小標題「精打細算省手續費」可能令讀者認為是褒義，在此提醒讀者。

三八婦女節談女性投資

上過期權教室的朋友都知道，教室一直都是以男性為主要目標，特別是「555」（近 50 歲、在該職位工作了 5 年、月薪 5 萬）的「高危」人士（一般都是首批裁員對象），教導以賺取期權金為目的，做保守的投機者，逐步走向財政獨立。期權教室開辦已有 5 年時間，學員也已有數千，其中當然也有女性。但從筆者的觀察，發覺在投機市場操作期權，在散戶層面看，男性較為中庸，反而女性十分突出，包括賺錢和輸錢。

令本人印象深刻的是 CL 小姐，主力做指數期權，她的原話是：「Long Put 賺錢賺到我自己唔信。」這是在 2012 年 5 月的大跌市中，她從開始就一直持有 Long Put 倉位，不單沒有止賺，反而是推低行使價反覆獲利，取得極佳成績。在牛市中獲利人人皆可，不足為奇；但在跌市中取利就要有眼光，能吃盡整個下跌浪的人實在不多，特別是做指數期權，相信女性更是絕無僅有。

還有就是 FF 女士，專做股票期權。開始時，她自我制定車位投資法，用買車位的錢做股票期權，但追求的期權金收益要比車位租金更高。跟著就開始充分運用備用金（期權教室所講做股票期權 3+15 的備用金）以對沖 Short 倉。雖然是要捕捉市場機會（60 多個可做期權的股票），頗為投機，但有備用金，做得穩穩陣陣，無壓力，還可以經常外遊，享受人生，十分瀟灑。2012 年的成績是 3（3+15 的進場資金）的翻倍，而且可持續性極高。

這兩位女性只是無數成功個案的典範。筆者 2012 年在《信報財經月刊》曾有文章探討過女性特徵之專一性，認為由於生活結構以及生活角色的配置，造成女性一心一意的思想意識要比男性強。所以，女性一般都會對自己認可的事物和人物有不離不捨的精神。當今社會的「專」十分重要，做事「專」，出成績必然！這不單是在投機市場，職場女性更是如此。藉今天是三八婦女節，我們應該向這些成功女士致敬！（"Salute you all!"）

但也有值得與各位分享的 Morning Call（難以入睡的投機者晨早打電話給本人問功課）。該名女士有 50 手付清的中人壽（2628）股票，持有正股做 Short Call（Covered Call）十分正路，她開的 Short Call 倉有不同行使價和不同月份，也很合理。但問題是出在她開的 Short Call 倉多達 250 張（50 張 Covered + 200 張 Naked），股價不斷上升，她跟本無法增補不斷上升的按金（200 張）。在巨大的壓力下，最終的建議是將 50 張正股全數沽出，套取多 20-30% 的現金以應付所需按金（藍籌按倉值一般都有 70-80%），免遭斬倉。然後跟據持倉能力，待大市回落，時間值耗損，期權金收縮，逐步平倉，減少損失。事後筆者問為何會開出 250 張，她說只是 5 次，見股價上升，Call 的期權金漲就開倉，每次 50 張。筆者問為何 50 張，她說每次要力爭收期權金 4 萬以上，所以 50 張。筆者問為何 4 萬以上，她說 4 萬的 0.25% 是 100 元，不會浪費買賣的手續費。女性持家，當然懂得精打細算，但精明到每次用手續費計算收期權金也的確是少見。

香港交易所近期積極推廣股票期權，會令市場耳目一新的是交易所的股票期權網頁大翻新，據聞是本月 18 日開通。交易所的網站內容非常豐富，可惜就是用戶友善度（user-friendliness）欠佳，要找到想要的數據不容易。新網頁若能提高使用性能，讓使用者感到舒服，相信不單會令更多的本地散戶參與期權市場，而且還會吸引祖國同胞。因為不論閣下如何與其它衍生工具比較，期權是交易所產品，公平性與可信度無須置疑。

本月 25 號下午，在中環交易廣場的交易所會議廳，有一場由交銀國際舉辦香港交易所贊助的股票期權講座，筆者是講者之一，有興趣朋友可以留意廣告。

2013/04/19

筆者預計股票期權在內地會受到投資者的追捧，同時，筆者也十分清楚，內地讀者將「權證」和「期權」混為一談。雖然筆者喜歡操作期權，也推廣操作期權，但見內地的年輕人多，因此要提醒年輕的朋友們不要為了期權金，放棄自己的愛好和事業，年輕人應該追求自己的理想。

股票期權吸引內地客戶

上月底在香港交易所演講廳，籌辦已久，由交銀國際舉辦港交所贊助的股票期權講座上，筆者是主要講者。結束後細看名單，也見不少是來自內地的人士登記（以國內手機號碼計）。當日交易所演講廳座無虛席，由於座位有限，數以百計有興趣的人士未能參與，估計其中也有內地的朋友。有見於此，筆者最近也在內地試開期權班，向內地朋友推廣期權，目前初見成效。

首批專程來港到交銀國際開期權戶口的有十多位學員，他們都是頗為認同筆者推廣股票期權的理念——莊家制，報價公平，有機會獲取每月的正現金流。香港的熱門股票大多都是內地股票，內地朋友懂得期權知識，可能比港人更具優勢。

有見於此，筆者寫了一封答謝信給這批朋友，本人認為內容頗有期權教育意義，所以刊登如下：

各位朋友，

首先，我要多謝你們認同本人推廣香港期權，並專程來港開期權戶口。但我也要指出的是，你們都較為年輕，若閣下已有自己熱愛的工作，應該將精力投放在工作中，獲取事業上的滿足感，不應該為了賺期權金而分心。這一點，在本人《期權 Long & Short》書中的〈後記〉中已有說明。

在與你們廣泛的交流中，你們都多少具有「權證」的概念，這可能是與窩輪商過往大規模的宣傳有關。本人在此用文字再解釋一次，也希望你們將此信息轉達給其他朋友。

「權證」是源於「期權」（多數是期權 Long 的變種），但兩者基本上是兩回事，最根本的不同是：「權證」是由發行商（一般都是投資銀行）或相關企業發行，所以港交所的提示是：「發行商可能是唯一的報價或流通量的提供者」；而「期權」，本人所推廣的期權，有 Long 也有 Short，是交易所的產品，市場行為是由眾多莊家參與買賣，透明度和公信度極高。

你們將參與港交所的股票期權買賣（大多數都是內地股票），你們可能對這些股票比我更為熟悉，因為你們生活在內地，對內地的股票較具市場觸覺。一代投資大師：彼得林治（Peter Lynch）都是從生活的細節中發掘投資機會，經典的故事是他發覺太太和女性朋友都喜歡彈力絲襪，所以買進這種行業的股票，並因此獲巨利。所以，你們應該在生活中體會自己熟悉的股票，這就是你們做股票期權的優勢。

另外，本人也要再次強調的是：期權策略可以變化萬千，有工作和沒有工作的人士之買賣策略大不相同，各位一定要有警惕。由於期權操作是長期行為，所以你們要儘快找到適合自己的策略，按自己感覺舒服的節奏作買賣。期權是每月結算，造就了我們有機會爭取每月的正現金流，這種結算模式也迫使你必須做決策，不是像持有股票般可以不理。

最後，就是上課時的一句老話：穿自己的鞋走投資路，做保守的投機者。今天再加一句：學期權，做自己資金的基金經理！

2013/05/18

在《期權 Long & Short》的序文中，筆者提及一位華爾街的朋友對本人的評語："Freeman, you humanized option trade!"，的確如此，筆者是銳意將期權觀生活化。此篇文章值得有物業的朋友一讀，連租約出售，的確是最好不過的 Covered Call，這也正是從期權觀衍生出來的策略。

樓市策略的期權觀

『升有限』和『跌有限』是來自『期權循環圖』制定策略時的提示，『升有限』的策略就是 Short Call，『跌有限』的策略就是 Short Put。當然，判斷是否是『升有限』或『跌有限』，各人都會有各人的觀點，難求一致。筆者去年曾在本欄提及〈50 - 15 繼續 Short Call Hong Kong〉，收到一些讀者電郵，問詢 How to Short？說明市場表示認同的人士頗多。

最近去內地參加分享會，內地朋友問如何用期權的觀點看目前的樓市（本文是主要的分享內容）。本人用投影儀打開『期權循環圖』問：你們認為目前是處於甚麼階段？結果是異口同聲地回答：『升有限』。筆者答：好，既然大家都認為是『升有限』，就會用『升有限』的策略，四大策略中就是 Short Call。

市場上總是有貪婪的人和恐懼的人，市場是因為有這兩種人而形成的，但精明的人是既不貪婪也不恐懼，而是觀察和思考。樓市『升有限』的最大特點是有價無市，香港 97 年正是如此，但當時市場上也有人認為回歸後樓市還會上升，特別是寫字樓。筆者有位以色列的猶太朋友當時是用着自己買的寫字樓，為了能在當時的高價賣出自己的單位，他的廣告是標明連租約出售，而且租金略高於市價。市場上當然有人會被高於市場的租金吸引，希望享受兩三年豐厚的租金收入。當買家出現時，這位猶太老兄就講明他自己就是租客，猶太商人在香港的信譽一般都不錯，deal made ！

這就是典型的房產 Short Call 策略，而且是 Covered Call。筆者這位以色列的猶太朋友是一位精明的商人，我們大約是同時買進物業，但他逃過一劫。可是筆者是在後來的幾年，要在逼不得已的條件下蝕錢脱手。這種房產 Short Call（Covered）的策略並不鮮見，今天倫敦金絲雀碼頭的匯控大樓，就是匯控當年以租客的身份向 O & Y 買進，之後，又作為租客，連同租約賣出。

這是自用的情況，若是正在出租的樓房又如何？這就要動腦筋想出令租客感到划算的策略。市場上不乏長期租房的人，筆者認識一位牙醫朋友，家境富裕，收入豐厚，他百年時我才知道，他的住處竟然是租的，而且是租了 43 年。所以，若閣下想要將物業賣給租客，你就要想辦法幫租客制定有吸引力的買樓方案，也就是以最低的首期和與目前租金相若的月供計劃，令租客感到沒有買樓的壓力，用同樣預算中的租金成本成為業主。不過，如何能做到幾乎是零首期，就是閣下的功夫了。

若租客不想買又如何？閣下此刻想賣出房產是有時間值概念的，因為你不想等到『升有限』的下一個階段。因此，你在這段時間會頻頻帶買家看房，但沒有租客的同意又是不行的。所以，你要為租客找到與你的房相若，但租金比你便宜的房子，允許租客中途退出。這樣，你的租客就成了你的推銷員，當買家看房時，會大力讚美你的房子，你賣出的機會也會上升。

若還是沒人買，你的租客到時又走了，這又如何。你就不得不果斷地降價賣了，因為處於『升有限』的階段，空房除了輸時間值，還要面對下一個階段的來臨。

以上所講的一切策略，都是建基於有良好的法制基礎和講信譽的社會，因為人畢竟還是利益的動物。

2013/06/14

這是用期權觀看政治，科斯托蘭尼認為：政治是扣動經濟的扳機。所以我們一定要懂些政治。此文提及《信報財經月刊》2013 年 3 月號的哲理文章〈從黑格爾哲學看香港前途〉，該文也收錄在此書的結尾部分，有興趣者不妨一讀。

Short Call 與 Short Put　看香港三大頭

近期港股是明顯跑輸外圍，執筆時參考恒指收 20887 點，許多優質藍籌都跌至頗有吸引力的水平，而且整體 P/E 已降至 9.61 的水平，可能是世界主要股市之中最便宜的一個。港股之弱，當然是有其內因，不排除本港市場的主要參與者——外資，在看淡香港市場。回顧近期香港的社會現象，筆者認為有三大頭出事。

第一大頭是股票頭號 No.1 分拆酒店當住宅出售，搞到滿城風雨，雖然這是錢可以解決的問題，但此事是為已完成的交易翻案，涉及收取訂金及二手市場買賣，存在商譽的損失和可能衍生的法律問題。但憑超人的高超技巧，問題一定可以逐個解決。筆者不明的是為什麼證監有如此足夠的理據，但不能夠做到當時立即叫停，令風波不至於蔓延。

第二大頭是本港社會的頭號品牌－－廉政公署（ICAC），香港引以為傲的招牌，搞到要自己人請自己人「飲咖啡」，而且幾乎是請最高層「飲」。這種事件結局可能會是得過且過，息事寧人，慢慢淡化。但無論如何，這都會記錄在廉政公署的歷史成績表上，對香港社會造成負面影響，留下記憶中的傷疤。

第三大頭是特首梁營頭馬，本港的「商品大王」，陣前失蹄。其實，當筆者得知港交所買 LME 志在必得，作分析時已指出商交所不可能有前途，但想不到的是無「錢」途。從報紙看到 36 億假擔保，估計中招的銀行股價必跌，數目雖然不大，但銀行系統可以如此烏龍，也實屬少見。

這種社會現象，此刻在香港不知是正在開始還是行將結束，筆者頗為悲觀，曾有文章認為要繼續長期 Short Call Hong Kong。該篇文章在《信報財經月刊》2013 年 3 月號，連同一篇歷史哲學的文章一起刊出，頗有趣味，不妨一讀。

面對現實，我們要有被拋售的準備，因為這些頭等大事是會令海外投資者懷疑香港的營商環境，包括內地對香港的看法，此刻要有時間淡化這些負面因素，好倉才能建立信心。作為普通的香港人（普通的香港人的共性定義可以是指——無投票權），相信只有四個字：無奈＋可惜。但此刻 P/E 跌至單位數，是否到了『期權循環圖』『跌有限』的位置，可能是見仁見智。見成交額昨天已增至 877 億，筆者認為跌幅大的股票都可以開 Short Put，特別是香港的地產龍頭和內地保險股。『期權循環圖』的觀點在筆者《期權 Long & Short》書中有許多個案，各位可以參考。

一波未平，一波又起。近期「佔中」似乎成為香港的熱門話題，並可能逐漸形成一個社會運動。在港大一個 700 人的討論會上，相信是香港精英湧現，猶如 1997 回歸前一般。這應該是香港社會成熟和理性的表現，至於如何定名、如何定義，是持續的細節，但此風氣對香港社會一定是有正面的意義。筆者相信進化（evolution）多於相信革命（revolution），革命通常是推翻前一個獨裁的同時又建立另一個新的獨裁，而進化是講不斷地理性解決矛盾，適者生存。相信香港的精英一定不會跟隨華爾街的後塵（Occupy Wall Street），會有更聰明的生存策略，所以，「佔中」可以 Short Put，因為其最終目的可以看好。

細胞分裂是產生變化的重要元素，在追求變革的時期，我們應該樂於接受分裂。具體講，就是應該激化有投票權人士和無投票權人士之間的矛盾，令這種不合理的社會現象產生分裂，執政者勢必要尋找解決矛盾的方法，在這個過程中，社會就會進化。

2013/06/28

筆者對巴菲特的認知只有四個字：貪婪與恐懼。我們可以想深一層，他所講的不是股市，而是人性，人的心理！因此，某種意義上講，分析股市就是分析人的心理，特別是在貪婪期（人人都想擁有股票）和恐懼期（人人都不想擁有股票）。

此篇文章是寫恐懼期，對理性的期權操作者有指導意義。

非理性拋售

美聯儲局前主席格林斯潘（Alan Greenspan）有句名言：「非理性亢奮（Irrational Exuberance）」，是指當市場已經是處於波段高位時，仍然有大批市場人士看好而繼續買進，令市場超買後可以再超買。著名的物理學家愛恩斯坦也有這樣的名言：「我可以計算物體從地球到星球的軌跡，但無法計算人們對股市的瘋狂情緒。」

但上兩週，本港和內地的股市卻是出現相反的現象。若從恒指上月最高點計至本週的最低點，跌足 4086 點（5 月 20 日 23512 點 - 6 月 25 日 19426 點）。A 股若從 2300 點計，也有 450 點的跌幅。這樣巨大的跌幅是股市價值偏貴？還是預期盈利大倒退？筆者的觀點認為兩者都不是，這是對停止 QE 此負面因素的過度反應，A 股則是市場對政策不滿情緒的宣洩，是非理性亢奮之相反：非理性拋售。

（圖 1：上證指數於 2013 年 6 月急跌）

但話說回來，有本事吃足整個跌幅的，必定是高手，因為市場是提供了這樣的機會，若閣下有本事把握，利潤可以是以幾何方式計。筆者 5 月看跌，在期權教室以 Long Put 22600 x 1 付 98 點 + Short Put 22000 x 2 收 90 點（45 x 2）試倉，上月收市結算是 22484 點，利潤為（22600 - 22484）- 98 +（45 x 2）= 108 點（$5,400）。但這只是捕捉了前半部的跌幅。本月也是看淡，但是在本月中段的牛皮期，筆者認為會反彈，所以平淡倉，只是吃了本月的一半跌幅。金融市場沒有專家，只有輸家和贏家，從某種意義上講，即使你有方向正確的觀點，也還需要配備具體可行的策略以及堅持到底的決心。

如何部署期權策略，這是考驗每個操作者的真功夫。一般情況下，大多數人都是關注短綫的利潤（包括本人），但真正的高手是看通整個波段，順勢而為，吃盡波幅。這種功力不是一時三刻可以煉成，這是需要長期的浸淫，華爾街的約翰 ‧ 保爾森（John Paulson）就是這種人物。

A 股市場至今仍然被人認為是不成熟的市場，可是我們的恒指就是在這個不成熟市場的大門口，內含 55% 以上的不成熟市場股票，我們不得不接受來自這個市場越來越多的影響。

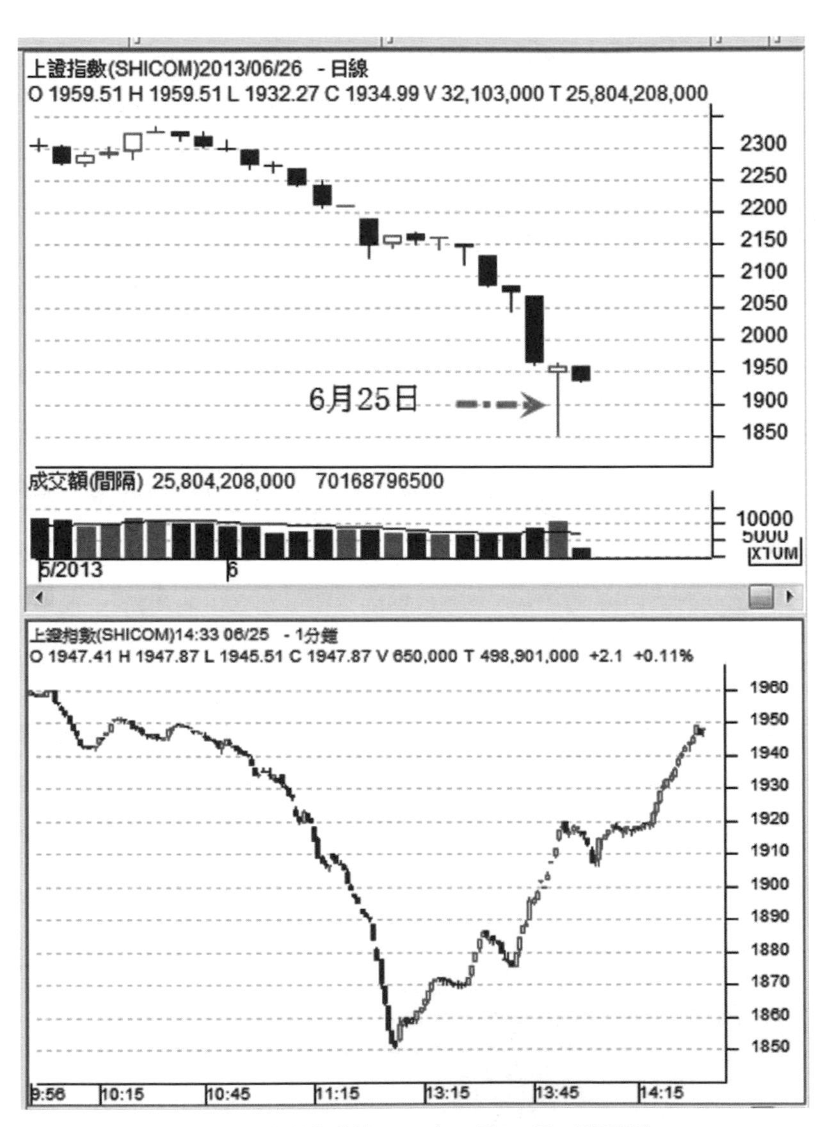

（圖 2：上證指數於 2013 年 6 月 25 日 V 型反彈）

我們先看 A 股 6 月 25 日的分鐘圖，這是一個典型的到位 V 型反彈，上午下跌沒有支持，下午上升沒有阻力，似乎是在集體行動。再看日綫圖，陰陽燭該日留下長長的下影綫，高低波幅足 100 點或 5%。這對於一個有影響力的大國股市，上午跌 5%，下午升 5%，實在是令人吃驚。另外，成交明顯增加，有轉勢之兆，技術性反彈十分明顯，是期權操作者投機性進場的時機。簡單講，就是先 Long Call，因為在非理性拋售後，出現非理性買進也很正常，恒指具體波幅可以看反彈至下跌裂口 20986 的機會。一旦確定升勢，就可以開始佈署 Short Put。

7 月份是一個傳統升市，策略雖然做好倉，但不等於一路看好到年底，因為若經常出現非理性拋售，會令市場已經不認為是非理性了。此時此刻的金融市場都十分脆弱，目前超低利率對市場的正面因素正在慢慢減退，若經濟實體不能產生實質利潤，各種各樣的債隨時又是再次崩潰的導火綫。

2013/11/15

期權教室的對象是散戶，特別是中年男士，目標客戶非常明確，多年授課，學員數千，大多數學完後都有進場操作，所以筆者較為了解散戶的心聲。對於港交所推出的各種期權招式，從 Synthetic Option Future 到 TMC/Tailor-Made Combination，筆者收到大量諮詢，但由於不知港交所的目標客戶到底是哪種類型的投資者，令筆者難以回答。

此文是繼筆者數次撰文批評港交所「Long 是風險有限利潤無限；Short 是風險無限利潤有限」作為宣傳推廣期權的口號是大錯特錯以後，再次寫文章探討港交所推廣期權策略的方法。此文一連兩篇，值得各位細讀。

期權策略圖中尋（1/2）

上兩週本欄提及期權的策略就是四大策略，要根據波幅，靈活運用，不建議經常用所謂的標準招式應市。標準的招式筆者所見最多的有 62 式，最少的也有十多式。標準的招式最特別的地方就是以對（pair）或以套（set）進場，從某種角度上看，這些招式外表看似比較高級，給人的感覺是：做期權懂得成雙成對的人士才稱得上真正懂得做期權；若只在四大策略中單選一項，似乎比較簡單，看起來有些落伍。

筆者在期權教室授課，基礎堂有開倉的八大步驟如下：

1. 選定目標產品：可以做期權的目標股票或指數。
2. 技術分析：研究該目標的圖表以及運用自己熟悉的參數，找出自己對該目標中短期的看法。
3. 基礎分析：用與該目標產品有關的基本因素去分析自己的看法是否有把握。

4. 將自己的看法套進『期權循環圖』，在四大方向中找出可以做期權的主要方向。
5. 進入該目標產品的期權報價，找到自己認為合適的月份及行使價。
6. 把選定的月份和行使價與該目標產品的圖表再檢查一次，是否有誤。（有經驗者可免）
7. 計算自己的風險承擔能力，一旦看錯，損失會在甚麼程度，止損在什麼水準，以及用什麼方法。
8. 落單。

一般情況下，大多數朋友都是做完所有步驟，可是忘記第 8 步，所以難以獲利。第 4 步非常重要，這是決定閣下策略是否成功之關鍵，閣下必須找到主要策略，也就是在 Long Call、Short Call、Long Put、Short Put 這四大策略中先選其一，這當然是筆者的觀點。開倉之後，再根據波幅決定下一步策略。若以指數期權為例（股票期權與指數期權可以大不相同），有所謂「Long 在手 Short 風流」，「利潤在手 Long 風流」（本欄早期文章的標題）。應該是先 Long 後 Short 還是先 Short 後 Long，除了看波幅，還要分做 Call 還是做 Put。

在大多數市況下，筆者的建議是：若看淡，可以先 Long Put 後 Short Call；若看好，則可以先 Short Put 後 Long Call。即使不習慣這種操作方法，閣下開期權倉的心態及思維方法也應該如此，因為筆者認為這樣才是保守的投機者（散戶）。

我們也可以反過來看看所謂的招式，也就是講對（pair）或套（set）的策略。港交所早前（2011/05/09）推出 Synthetic Option Future，是以對（pair）進場，在同一行使價，同時間，開同方向的期權倉（Short Put + Long Call at the same strike, or Short Call + Long Put at the same strike）。一直以來，筆者都在觀察該產品的成交（因為此策略與筆者提倡的方法有明顯之不同），要看看是否這些招式不適合散戶但適宜大戶，可是近期零成交，以往也大約如此。筆者曾收到許多客戶對該產品的查詢，本人的回答只有一句：恕無可告，請看成交。

最近（2013/10/15）港交所又推出了 TMC（Tailor-Made Combination）期權平台，是以套（sets）進場。比如説閣下要開鐵禿鷹（Iron Condor），閣下可以要求同時報四個價（Long Call + Short Call + Long Put + Short Put），若價格滿意，可以同時一次過成交四張。這與筆者主張找主要方向，動態成交又是不同。該平台可以做指數期權和股票期權，若做指數期權，本人可以理解，可以持倉至結算，現金交收定輸贏。但若是股票，此策略如何解決香港聯交所規定的股票期權實貨交收之結算方法？若無股票，如何 Short Call？若現金不足，又如何 Short Put？因為這都是涉及到與股票現貨相關的期權策略。若股票期權的結算方法也改為到期現金交收，不知這些招式的市場反應是否會有不同。

TMC 開鑼以來，成交一般，2013/10/29 成交有 457 套，這是否是結算期的轉倉因素，有待觀察。但以一個月的成交看，有些擔心是第二個 Synthetic。令本人較為不安的，反而是收到不少在 SP Trader 平台上操作期權人士的投訴：由於 TMC 推出，SP 平台頓失標的物價格（Underlying Price），股票期權技術數據（Greeks，如 Delta、Theta、Vega 等）也無法讀取，SP 平台也不能開 TMC 倉。這些人意見頗大，在本月 6 日港交所的講座上也有提出，私下的議論是：未見其利，先見其害。筆者認為在 SP 平台上做期權，成交額可能超過期權總成交 50% 或以上，港交所應該重視這些投訴。

其實，若閣下熟悉了期權的術語，了解期權的內在結構，操作期權可以十分簡單。還是本人的觀點：期權策略圖中尋，期權也就是四大策略。

筆者所指是——『期權循環圖』Cycleoption。

2013/11/29

這是在〈期權策略圖中尋〉後繼續探討港交所的 TMC 平台。

TMC 平台的指數期權和股票期權（2/2）

上兩週本欄提及交易所推出 TMC（Tailor-Made Combination），這種期權策略是以對（pair）或以套（set）的形式報價，若閣下是以各種招式進場，比如說做 Straddle（馬鞍式組合＼／）、Strangle（勒束式組合＼＿／）、Iron Condor（鐵禿鷹組合＿／￣＼＿）、Collar（上下限封頂保底式領口組合＿／￣）等等。其好處是閣下可以靈活運用，不必在市場上為每一隻腳分別地去 Bid & Ask（若自行做鐵禿鷹要做四次：Long Call + Long Put + Short Call + Short Put），可以讓市場莊家為閣下代勞，而閣下只是用一個價完成整套倉。通常情況下，開這種倉是應該持至結算，以結算日這四隻腳的最後結算價定輸贏，一般情況下，最大的輸贏可以預知。但若閣下要在中途平倉，那就要有市場莊家為閣下開價，開價是否合理，也是在乎是否有眾多莊家參與，優化報價。目前觀察所見，大多數都是做同一個月份的對或套（結算較為方便），較少做跨月（Calendar Spread）。若閣下採用跨月，本月過後就變成單腳，除非閣下搬倉（Rollover），開下月與再下月的組合。這些招式聽起來可能有些複雜，但若此方法可以令閣下持續獲利，複雜些也值得。

在 TMC 平台，筆者認為指數期權可能較股票期權略勝，這完全是從結算的方式考慮，舉例如下：

若是股票，閣下開 Short Call + Long Call，原則上閣下是應該具備正股，以備萬一 Short Call 到價，被對手行使時不會太狼狽。因為若是該股上升，Long Call 當然帶來利潤，但 Short Call 可能會被對手行使要出貨。若無正股，就要立即在市場上買回正股，然後交付給對手，程序上會有些麻煩；但若閣下持有正股，是否值得做 TMC 又是見仁見智。筆者認為若有正股，應該分開做，也就是動態做。因為分別持有 Short Call 和 Long Call 的靈活性大增：若股價上升，閣下認為 Long Call 利潤已令閣下滿意，完全可以平 Long Call 先獲利；若 Short Call 被行使，最多就是出貨，若股價上升後回落，Long Call 賺錢而 Short Call 不必出貨，閣下更是開心。但相反，若是 Short Put + Long Put，閣下有接貨能力，TMC 可以提供較簡單的方法，因為接貨的同時，可能 Long Put 也是進入價內，可以提供利潤，降低接貨成本。

若是指數，閣下開 Short Call + Long Call，一般情況下都是 Short 近 Long 遠做保護（以 ATM 計），沒有要交收股票的麻煩，較為簡單。但值得提醒各位的是，Short Put 行使價的選擇十分重要，因為是一對或一套，沒有拆倉功能。為了保險，所以開倉時該 Short 位行使價的期權金最好是接近 200 點（期權教室基礎堂講關於 200 點的盲點），以避免結算時 Short 位已過 Long 位未到的尷尬局面，也就是 Long Short 雙輸。當然，若閣下是做 Short 遠 Long 近，整個故事又會改寫，因為 Short 遠 Long 近的倉有時可以有意想不到的獲利結局，但問題是莊家是否會給這種價。若閣下有時間，請留意市場高手們在 TMC 平台開出的招式，慢慢研究，頗有啟廸。有些初進場的朋友可能不明 TMC 是如何操作的，今天具體舉例（見圖 1），這是 11 月 27 日的 TMC 成交，Long 國指即月 11200 Put 和 11400 Call，做這對付出期權金是 56 點，是十分聰明的倉（期權教室的講法是 Long 兩頭）。昨天（11 月 28 日）開市時平倉（若有莊家可以立即做）利潤有三倍以上，即使是以結算價計，利潤也不錯。這個案例只是説明閣下可以 Long 也可以 Short，但只是用一個價（期權金）來持有自己喜歡的組合。

營業日 2013 年 11 月 27 日，星期三

自選組合名稱	合約1	合約2	合約3	合約4	開市	全日最高	全日最低	最後成交	成交量
TMC_HHI/001	(買 1) HHI11200W3	(買 1) HHI11400K3	-	-	56	56	56	56	10

（圖 1：2013 年 11 月 27 日的 TMC 期權成交）

我們再看看 TMC 的成交，整體看來，股票和指數的張數都在增加，相對大市的期權成交，當然還是十分小，但若更多的交易平台可以使用 TMC，不必每次都要經紀落單，相信成交可以增，吸引更多的散戶進場。

日期	股票期權 TMC（套）	指數期權 TMC（套）(HSI+HHI+MHI)
15/10/2013	0	8
16/10/2013	4	18
17/10/2013	4	113
18/10/2013	30	30
21/10/2013	6	28
22/10/2013	40	20
23/10/2013	10	43
24/10/2013	10	130
25/10/2013	0	71
28/10/2013	126	25
29/10/2013	457	27
30/10/2013	13	11
31/10/2013	0	16

日期	股票期權 TMC（套）	指數期權 TMC（套）(HSI+HHI+MHI)
01/11/2013	0	118
04/11/2013	0	39
05/11/2013	0	11
06/11/2013	0	12
07/11/2013	0	15
08/11/2013	0	24
11/11/2013	6	13
12/11/2013	0	24
13/11/2013	0	23
14/11/2013	0	36
15/11/2013	54	43
18/11/2013	50	99
19/11/2013	0	71
20/11/2013	0	77
21/11/2013	0	59
22/11/2013	1823	57
25/11/2013	56	67
26/11/2013	235	36
27/11/2013	4	52
28/11/2013	520	71

（圖 2：港交所 TMC 平台 10 月 15 日至 11 月底的成交狀況）

2013/12/27

期權就是 Long & Short，但 Short 易 Long 難。Long 是要 "Time the market"，也就是說時間要掌握得非常好才會有利潤，但這也是操作期權的樂趣。

期權操作小利在 Short 大利在 Long

2013 年即將過去，以恒生指數今年 1 月 2 日的開市價 22860 點計，勉強錄得多少升幅，估計也就是 2% 左右；國企指數開市是 11566 點，但受 A 股影響錄得跌幅約 6%，略勝 A 股的跌幅約 8%。期權講波幅，恒指今年最高為 24112 點，最低為 19426 點，全年波幅為 4686 點，相對 2012 年的 4663 點（高 22719 點，低 18056 點），相差無幾。今年 9 月底《信報》有各類基金回報率的文章，以過往一年計，通脹是 4.2%，股票基金明顯跑贏其它基金，股票基金的平均回報率是 10.9%，而表現最好的為 42.08%。

筆者分析過許多以操作期權為主要工具的散戶倉位，發覺不論用以上任何一個指標計，成績優異者大有人在。操作期權基本上是講絕對回報，要不然不能稱是用期權為主要工具，也就是說不論升市年還是跌市年，閣下都應該可以用期權獲利。當然，期權教室是將指數期權和股票期權明確分家，因為筆者認為期權的核心就是對沖，指數和股票的對沖物不同，結算方法不同，策略也應該不同，今天是講指數。

做指數的好處是指數經常會出現一沉百踩，不然就是一哄而上的局面，制造了波幅。期權教室上堂時有這樣的講法：Short 是投資，本大利小利不小，因為贏面大。Long 是投機，本小利大利不大，因為贏面小。所以，筆者建議用有保護的 Short 倉為主導，也就是所謂鐵禿鷹（Iron Condor）的策略，但動態做，同時，要懂得掌握用部分利潤做 Long，捕捉機會。

在恒生指數今年的日線圖可見，今年操作期權的主要獲利區，5-6 月是 Long Put，因為趨勢明顯，可以用 Long 的利潤再 Long。次要獲利區 11 月是 Long Call，因為升得非常急，時間值也配合，可以持至最佳位平倉。在這兩個獲利區都是以 Long 取勝，而這兩個獲利區 Long 倉的利潤總和可以與全年 12 個月的 Short 倉整體利潤相比，甚至有過之，所以本文題為小利在 Short，大利在 Long。

（圖：2013 年操作恒指期權的主要獲利區和次要獲利區）

開 Long 倉的關鍵首先是利潤，筆者早前在本欄有文章題為〈利潤在手 Long 風流〉。因為是贏面小的機會，用利潤 Long，出現虧損不會太心痛，敢於持倉，心態已贏。另外就是進場和離場的時間，期權教室是提倡短期趨勢，當趨勢出現才進場，趨勢不明顯就離場，不必一定要求自己可以捉到最高點或最低點，懂得捕捉，利潤已豐。

根據港交所的統計資料，本港股市散戶只佔 17%，而且是逐年下降，外地機構投資者佔 42%，是主體，餘下的是本港機構投資者及其它參與者。在這種市場生態環境下，散戶應該看大戶操作。散戶做分析，主要應該是分析大戶的行為，其次才是股票本身（這種觀點可能與價值投資者有異），努力做到站在當時的強方，即使站錯，也要躲在大戶的後方。作為散戶，實在不必追求每一次交易都要有利潤，這樣會形成自我壓力。科斯托蘭尼說他的利潤是來自 51 次獲利及 49 次虧損，當然這是誇張的說法，但已說明道理。

筆者此刻並不覺得明年會有 9000 點以上大波幅（以上望 31000 計），也就是今年波幅的一倍，理由是本欄上篇文章提及前途有兩座大山，今天續。

減買美債是否通縮來臨，伯南克臨別之作是開始減買美債，市場反映正面，歷史將記他一功：行事膽識夠，進退時間準。量化寬鬆登場後，一直給市場的負面形象是製造通脹，可是 QE 一而再，再而三，只見股市節節上升，雖然是人工牛市，但通脹未現，人人不亦樂乎。來年減買美債是必然，美股還有升幅但遜今年也是市場共識，可是減買美債是否會出現通縮？這實在是經濟學家才能回答的問題。筆者從市場的角度看：當市場認為通脹是洪水猛獸，QE 進時人人提防通脹，QE 退時也不應該有明顯通縮，因為沒有幾個人能在通縮中獲利。

大債臨頭還需放緩增長，國內股市目前還是以散戶為主導，也較少受外圍股市的影響，市場情緒較為明顯。今年國內各地方政府都要面對發放的巨債問題，市場如何製造樂觀情緒？除非是出現明顯的通脹，令債務變相減輕，但通脹會導致穩定性出問題，相信沒有經濟學家此刻敢用此法，所以選擇放緩，令通脹溫和，慢慢還債。從國內主要銀行的理財產品看，目前保本和不同期是主流，這樣可以迴避在某時刻要大量還貸的問題。

可是在巨債之下利率不斷爬升，這樣當然會吸引 A 股的資金，如此市況，股市要出現大牛難。

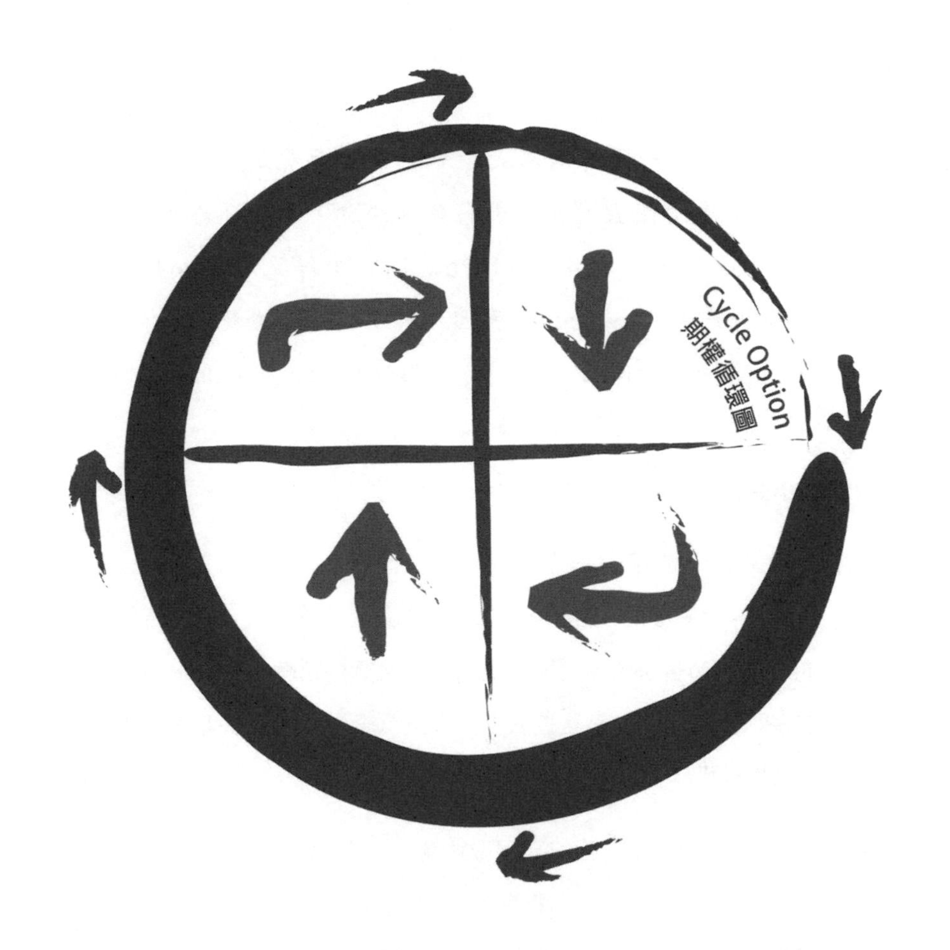

期權心理
2014

2014/01/10

在期權教室基礎堂的最後一堂有講八大步驟，第二點就是技術分析，因為操作期權在許多情況下是看圖表，在圖表中發掘機會，然後運用適合自己的策略。技術分析可以分為 Row Data and Raw Data（詳見《期權 Long & Short》），筆者建議主力是看 Raw Data，原因在書中已述，在此不贅。

在股海中打滾，什麼情況會開心，特別是驕傲地開心，可能閣下認為賺錢就開心，是否如此？還記得堂上的講法嗎？

新年長空　期權快樂

節慶期間，要講吉利説話，經常與持股者在一起，聖誕節是英文：Merry Christmas，元旦是：新年進步，春節是：恭喜發財。避免講快樂，因為凡是持股者只有一條路可走，就是求升市，快樂講得多，恐市會快落。近期教室的網上文章標題有，上月中的「先快落　再快樂」，本月初的「長空萬里　富貴逼人」（長空意思是做空看跌）等。也就是説認為大市要調整，建議期權操作者要及時制定策略。

制定期權策略是個非常仔細的工作，應該自己做功課，而且是只做自己熟悉的功課。若習慣吃股市快餐（"asking for numbers"），即使有目標物，也不一定會做得好，因為操作期權涉及月份、行使價、運用引伸波幅等技術細節，目標物提供者難以詳細描述和解釋，除非有特別的因素。

今天與各位分享港交所期權產品的三個主要類別。

先講恒指期權，焦點是 1 月 Put 位 22600。若看跌，可以看此位，因為牛熊證是本港的一大衍生特色，操作期權，當然要留意牛熊證，因為期權經常與牛熊證對着幹。見牛證在 22600 已停留了有一段時間，而且累積成最大倉位，只要有勢，就會誘發捕吃者出動。1 月 6 日恒指低見 22567，觸及 22600，而且是點到即止，這就是港股的生態環境（見圖 1）。所以，期權教室講大戶是我們的好朋友，倉位如此明確，開 Long Put 22600 不足百點，到位就平倉，月初的時間值頗豐，裂口導致的引伸波幅也漲夠，利潤當然令人滿意。

（圖 1：恒指 1 月 6 日下穿 22600 牛證重倉區）

再講國指期權，主要看 1 月 Put 位 10200。筆者在本欄早有提及，國指期權的未平倉合約遠超恒指期權，這也十分合理，因為港股的活躍股票是以國企為主，在此運用衍生工具很正常，細心的讀者可以留意，國指期權的未平倉合約是數倍於恒指期權。較誇張的是 1 月 Call 位大倉，恒指 23600 只有 2865 張，但國指 12000 已有 11956 張。國指與 A 股關聯性強，所以可以參考多些圖表分析。國指 10200 是頗為關鍵的位，若跌，此位可達的機會十分高（見圖 2）。閣下有利潤在手，百點可以做兩張，十分輕鬆，沒有壓力，到位平倉。當然，若再下跌就與閣下無關。

筆者在《期權 Long & Short》書中也有提及：進場是徒弟，離場是師傅，因為離場決定利潤。但本人更認為，目標利潤就是最好的利潤，因為人沒有預測能力，不能要求吃盡。

（圖 2：國指 10200 是頗為關鍵的位）

股票期權則講愛股中人壽 /2628，這是一個曾經不離不捨的股票，是以持有股票為主，操作期權為輔，但此時此刻多數是以操作期權為主，持有股票為輔。中人壽 /2628 是 A 股的老大，而 A 股 IPO 重啟，對 A 股會有短期的影響也十分正常，中人壽會回落也很合理。期權教室形容此股是「十八廿二」，就是形容該股在這個區域上落，可作為制定期權策略時參考。該股上月被粉飾得漂漂亮亮，升穿 22 後直達 26 邊，有貨沒有開 Short Call 是對不起該股，若沒有股票又如何？是否可以開 Long 1 月 22 Put ？因為若是「十八廿二」，回落之中 22 是可達之位（見圖 3）。該股昨天（1 月 9 日）最低已達 22.05（編按：見報之日 1 月 10 日更曾跌穿 22 低見 21.85），可以說已到位，期權金已是開倉的四倍，策略上可以是先平倉 1/4，將成本回收，讓利潤繼續賺取可能的更大利潤。

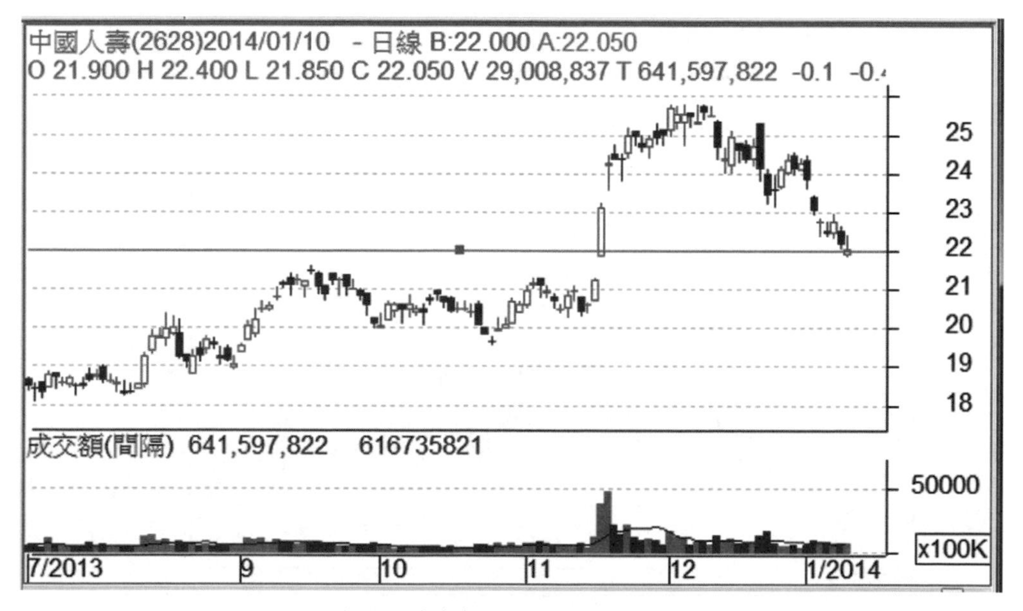

（圖 3：中人壽 /2628 已回到 22 元邊）

《期權 Long & Short》中也有提及做期權可以要求十全十美，但可遇不可求，若不是十全十美，八全九美也要有動作，剩下的不全不美就是閣下要承擔的風險。期權教室的助理（Frandix Chan）在教室網頁每日策略的文章中指出開空倉的 perfect timing 就是上週四（1 月 2 日），因為許多技術因素都配合，但若週五跟進，也不遲。

新年開始的第一個交易日（1 月 2 日），筆者在期權教室的文章有附圖如下，文字是：「2014 年的第一天，開市頗為重要，是 2014 年的起步價，以此計算升跌。此時此刻，各國都在玩財務政策和貨幣政策，入市者都是小心翼翼，不像是一個大牛市的氣氛，但也跌不到那裡去。若真是這種市況，閣下要如何定策略？現實可見的是 VHSI 跌穿頸位至 13.54（見圖 4），下跌空間仍有但已不多，這就是我們制定策略要考慮的機會率，這些問題本月的策略堂都會有分析。」

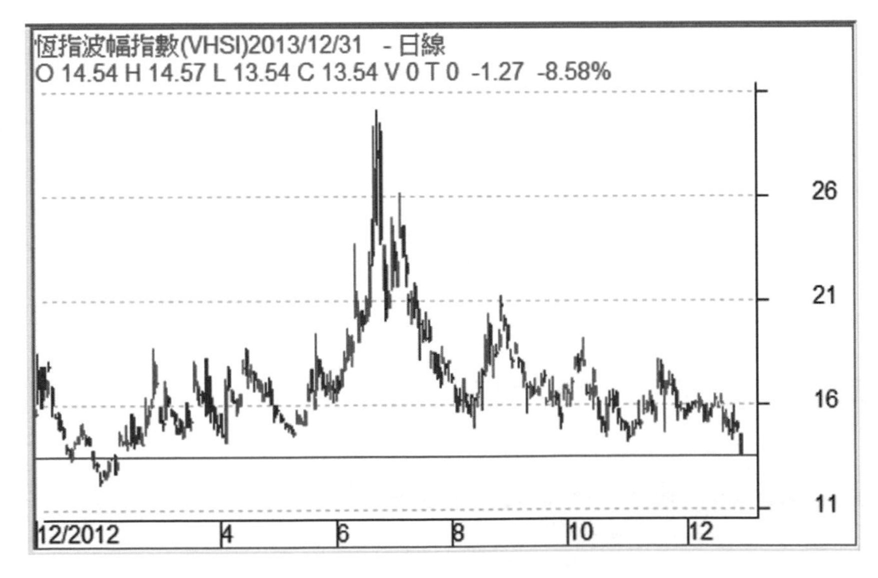

（圖 4：恒指波幅指數 /VHSI 跌穿頸位）

從（圖 4）中可見，突然大跌回補上升裂口後的反彈機會一般都頗高，所以新年長空，期權快樂！

2014/04/04

以下三篇有連續性，上中下三集，描述了「滬港通」的前前後後，值得各位細讀，這是港股 A 股化的號角，港股進入瘋狂的「大時代」。

在期權教室的堂上，筆者經常講去街市的故事。因為筆者喜歡烹調，特別是海魚和蔬菜，為了要買到自己喜歡的品種，一定要親臨街市。若能在週日早上去，更能體會到人們對生活的熱忱，因為人人生氣勃勃選購自己喜愛的食物，你可以感受到生命的意義。各位不要以為在街市買食物好簡單，筆者可以在此講，不懂時令及物品名稱，根本不懂吃。

在街市見賣菜的阿姐面對客人，認真推薦品種，細心做買賣，筆者對持股票會頗有信心；但若見阿姐不是在講什麼菜多少錢，而是在講什麼 Number 多少錢，筆者會認為這可能是非理性亢奮的現象，回家的路上就會考慮減持正股用 Long Call。在寫這幾篇文章的過程中，筆者當然有去街市，歷史的現象又在重演。其實，不單是在街市，在酒樓，在公共場所，甚至是在醫院，處處都是 Number，全民炒股，不亦樂乎。

在這個人人都瘋狂買股票的過程中，筆者當然也有進帳，特別是指數期權，但還是十分慚愧，因為賺得太少，關鍵是太早開 Short Call 388，貨被 Call 走，雖然資金立即派上其它用場同樣獲利，但還是將這幾個月的整體利潤大打折扣，這不是一般的賺得少，所以令筆者在此一役留下陰影。

這是筆者上港股A股化堂的第一次學費，知道政策因素可以將基本面打得落花流水，所以一旦理解了政策，應該Long，不能輕易Short。

港交所停牌　期權 Call 激增（1/3）

港交所（388）是筆者的愛股也是在期權教室講課時用的上堂股，該股未買LME之前，筆者稱該股是真正的香港股票（生意只是在香港），該股期權買賣活躍，實在好做，只是今年「射」不到大「刁」，股價拾級而下。踏入業績期，該股派息1.72，4月22日除淨，24日截止過戶，股價也略有起色。但本週該股出現異常的停牌現象，消息是內地媒體報導指，港交所與上海證券交易所已就網絡互通達成共識，未來滬交所將承接內地QDII2，集中報送至港交所執行；海外機構則可透過港交所直接投資A股，由滬交所執行。一般相信，潛在的合作有望支持滬交所掛牌的藍籌股表現，同時提振交投。港交所停牌前報126.0港元，升5.4%，成交1184萬股，接近上日全日5倍，盤中曾漲近6%。

十大成交認購期權

最後更新：02/04/2014 16:21（所有數據延時最少 15 分鐘）

	正股編號	正股名稱	到期日(日/月/年)	行使價	最後成交價	價格變動	價內/價外狀況	期權金(%)*	成交量
詳細資料	00388	香港交易所	29/04/2014	130.00	1.970	1.930	3.17% 價外	1.56	6415
詳細資料	00388	香港交易所	29/04/2014	125.00	4.010	3.670	0.79% 價內	3.18	4695
詳細資料	00388	香港交易所	29/05/2014	132.50	2.150	1.980	5.16% 價外	1.71	3849
詳細資料	00388	香港交易所	29/04/2014	127.50	2.750	2.630	1.19% 價外	2.18	3847
詳細資料	01398	工商銀行	29/05/2014	4.80	0.126	-0.026	2.35% 價外	2.69	3500
詳細資料	00388	香港交易所	29/05/2014	135.00	1.720	1.630	7.14% 價外	1.37	3383
詳細資料	01398	工商銀行	27/06/2014	6.00	0.010	-	27.93% 價外	0.21	3000
詳細資料	00388	香港交易所	29/04/2014	122.50	5.300	4.510	2.78% 價內	4.21	2800
詳細資料	00939	建設銀行	29/04/2014	5.75	0.020	-0.010	7.48% 價外	0.37	2790
詳細資料	00388	香港交易所	29/04/2014	135.00	1.100	1.090	7.14% 價外	0.87	2627

（圖：2014 年 4 月 2 日，港交所 /388 佔期權 Call 的十大成交之中達七席之多）

附圖可見，當天該股期權成交非常活躍，Call 的十大成交中該股佔 7 條之多，單一股票佔如此之比例，實在是難得一見，值得各位留意。雖然期權成交非常顯著，但在港交所的自選組合（TMC/Tailor-Made Combination）欄未卻未見有表現，可能市場還是以自行操作的靈活策略為主導。

	行使價	開市價	全日最高	全日最低	結算價	結算價變動	引伸波幅	成交量	未平倉合約	未平倉合約變動
認購 14 年 04 月	130.00	0.48	2.10	0.40	0.62	+0.58	16	6,415	6,348	+4,501
認沽 14 年 12 月	100.00	2.01	2.16	1.80	0.79	−0.74	19	3,798	5,076,	+3,604

（表：2014 年 4 月 2 日港交所最大成交期權的期權金變化，當日港交所收市價 126.00。）

附表可見當天期權金之變化，我們就以 4 月 Call 位 130 為例（頭位），成交 6348 張，期權金最低 0.40，最高 2.10，有 5 倍之多，若是平倉，利潤非常可觀。不過，未平倉合約（Open Interest）增 4501 張，看來市場人士是認為會升到位，傾向持有，願意承受風險。

對著這樣的市況，該股停牌，期權也不能交易，對期權操作者有什麼影響呢？停牌時間是 15:12，也就是說只有 48 分鐘沒有交易。首先看 Long Call，由於成交量巨，若是低位持倉，收市時有數以倍計的利潤，應該是獲利平倉，特別是坐順風車的散戶一般都會先走一回，但由於收市前突然停牌，未能平倉，這可能是未平倉大增的原因之一，因為不知停牌時間有多長，若是時間長，會輸時間值。再看 Short Call，這是被動策略，若是 Covered Call，無所謂，股票被 Call 走只是利潤減少，沒有風險。但若是 Naked Short，問題可能會很大，特別是做價外大手（這些都不是期權教室建議的方法），一旦股價升至 130，價內及到價的按金要求大增，若無法補按金，有被強行平倉的危險（force liquidation）。再看 Long Put，這肯定是要輸錢的策略，不過是輸有限錢，也無所謂。最後是 Short Put，對港交所，消息非常正面，是長期利好，從『期權循環圖』的意義上講，是出現了『跌有限』，還沒有開倉的人士可以進場。事實上，當天低位開 Put 倉的人頗多，在 Put 的十大成交中該股佔三條之多，排頭位的就是 12 月 Put 位 100，成交 3798 張，期權金 2.01 - 2.16，未平倉合約正數 3606 張，各位有興趣學習期權的朋友可以自行在港交所網頁上做功課。

這是港交所首次停牌，見第二天的報紙已做出澄清，幸好停牌只是 48 分鐘。第二天正常開市，價格與收市十分接近，各方都可以繼續操作各自的倉位。但若停牌時間長如何？停牌後的開市價與前收市價有大幅相差如何？這些都會對前收市的期權成交有直接影響，特別是遇上期權大成交，若開市後涉及股票交收，影響面會十分廣。筆者認為，如此一個響噹噹的優質藍籌，可以被一個未經確認的內地媒體報導就導致停牌，是否有些兒戲。

香港有停牌，股票和期權買賣同時停，直至復牌。A 股有停板制，升跌 10% 自動停，但升停是可沽不可買，跌停是可買不可沽，不是完全停。如果 A 股是有個股期權買賣，又會如何執行呢？

不過，整體來説，做股票期權的確是一門頗佳的小生意，運用策略得宜，升跌都可以錄得令人滿意的利潤。最後，祝各位復活節假期愉快！

2014/04/18

一錘定音滬港通　一現曇花港交所（2/3）

港交所（388）是近期的當紅炸子雞，4 月 2 號流傳未經確認的消息導致 15:12pm 停牌 48 分鐘，期權市場一片興旺。4 月 3 號交易所宣布這是未經確認的消息，希望股價平靜，但股價還是按消息走，不斷上升，而且走勢如期權 Call 的行使價基本到位。看來若不公佈消息，未經確認的洩密消息會漫天飛，造成更不穩定的因素。4 月 10 號，最後由最有權威的中央領導一錘定音，確認消息，結果是從 10:40am 起全日停牌。11 日復牌後股價飆升，大市炒得不亦樂乎，之後單日回落。故事精彩，成了期權教室的課程內容。

上篇曾提及港交所股票期權在 4 月 2 日成交排頭位的 4 月 Call 位 130，即日成交

6348 張，期權金最低 0.40，最高 2.10，未平倉合約（Open Interest）增 4501 張，看來市場人士是認為會升到位，傾向持有，願意承受風險。港交所股價 4 月 14 日到達近期最高點 152，Call 位 130 期權的內在值已達 22 大元，不過到位回落快，該行使價的期權金最高 21.82，Call 位的未平倉合約也明顯下降，説明都是在獲利平倉。對成本只有 0.40 的 Call 倉持有者，實在是暴利一場！

該股價從 152 回落，也頗為合理，因為 150 是該股的官價，讓政府的鈔票再坐多一回，問題不大。另外，消息經定音後，市場大炒 A/H 價差，港股的大市成交急升至 1069 億，但隨後是 963 億，跟著是 610 億、544 億、428 億，迅速回到本來的面貌。見此，筆者認為港交所股價在 135 的上升大裂口將會在短期內會回補，一旦有多少負面消息或跟隨大市調整，回到 120 的水平做整固也不會令人驚訝，因為這就是港股的大市成交每日保持在 500 － 600 億時的港交所股價水平。

4 月 15 日，是跌市，眾股票下跌，港交所榜上有名，跌 7.90（5.27%）。大藍籌，如此單日跌幅實在少見，猶如曇花一現。科斯托蘭尼早就講過，急升暴跌是兩不分離的仲伯兄弟。可能這就是所謂股市變，人性不變。

筆者在期權教室的網上文章提醒客戶，港交所將不能保持官價，成交回落是港股本來的面貌，事物最終都要反映本身的性質。所以閣下若持貨有量，此刻應該開 Long Put 保護，進取者則可以考慮開 Short 等價（ATM）Call，因為股價達 152，Call 位 150 當日在 4 月有 4.99，在 5 月有 6.63，即使萬一被 Call，要交貨，其損失也只是股息 1.70，實在是小意思。

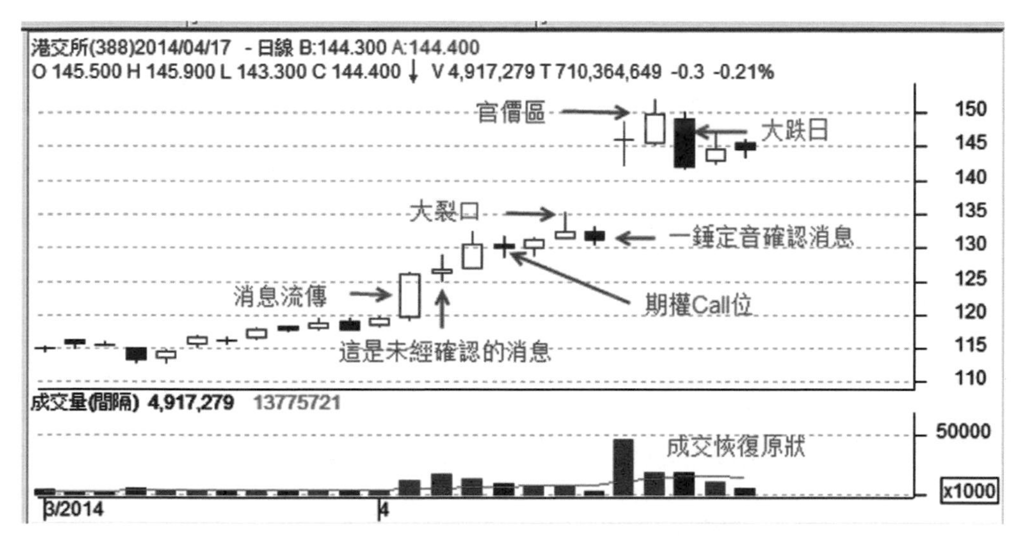

（圖：2014 年 4 月港交所 (388) 股價圖，消息發佈的日子已標示圖上）

至於「滬港通」，筆者是持中性的態度，這些都是有條件的買賣，希望能被吸引進場的應該都是喜歡流通性高的散戶，但對這些內地客戶又安排了資金跟蹤（原路來，原路去）。「滬港通」買賣都經兩地的經紀，對經紀的培訓可能也要下不少功夫才能啟動。此刻看來，這是對雙方參與者與市場本身都存在問題的計劃，紙上設計易，具體落實難。如上文所講，最初這是個未經確認的消息，但現在看來，最終可能是個過早提前發布的消息。這就是A股化現象，一定要搞到烏龍百出，最後由高層一錘定音，眾臣們就看著辦。

另外我們還要想清楚 6 個月後的市場變化，A/H 還有大價差嗎？若沒有，同股同權，你買麼？此刻 A 股低迷，此舉絕對在精神上有利 A 股，內地人不買 A 股，政策就借外力買起。本人愛港愛國更愛政策，決定 6 個月後要試買一手。

近來香港股票市場如此，政治市場亦然，什麼「新」香港人，什麼「港人港地」，什麼要在香港落實「國安法」，等等，這些都是烏龍產品，不知所謂。但翻開中國的史書，歷代吏治，這種現象比比皆是，不足為奇。

2014/11/28

註：此文不按時序，提前插入，為使此港交所三步曲能一氣呵成。

乘風滬港通　破浪港交所　尋寶期權圖（3/3）

近期本欄寫關於「滬港通」和港交所的文章計至本文已有三篇：第一篇〈港交所停牌　期權 Call 激增（20140404）〉，第二篇〈一錘定音滬港通　一現曇花港交所（20140418）〉，今天是〈乘風滬港通　破浪港交所　尋寶期權圖〉。筆者在此建議各位讀者將這三篇文章合併一起看一次，這是一個頗有劇情的金融連續故事，筆者每個環節都在其中，有得有失，也十分樂意與各位分享。

先講指數期權：由於散戶股民在股市中的地位可能是最低下的一群（雖然不是奴隸但也有股蟻之稱），當「我們萬眾一心」期待通車的前景，「前進，前進，前進進」，這種時刻，懂得指數期權就應該 Long「滬港通」Call，開 Long 輸盡只是期權金，值博率甚高。若閣下如本人一樣孤寒，只願意給 30-50 點期權金開 Long，11 月 7 日的即月 Call 位 24600 最低可以 29 點 Long 到，而 10 天後的開通日是 233 點，至於回頭開 Long Put 是後話。

筆者認為做期權當然要看數據，但更重要的是邏輯分析。若認為股市不可能是群眾運動，應該是少數人賺錢的地方，看「滬港通」會跌就是符合邏輯。期權操作，在大多數情況下散戶層面做的都是價外期權（OTM/Out of the Money），是在已知時間長短的條件下用時間值的成本考驗自己的分析，但分析正確也不一定策略運用得宜，所以如何運用分析制定策略才是考驗自我。

再講股票期權：港交所（388），從 Short Put + Long Call 被眾人看好，到正股 Short Call 官價（150）要出貨被人嘲笑賺得太少，到大跌市 Short Put 重新開倉，的確是賺得少，無奈，這就是執行自己分析的結果。幸好，Short Call 出貨後回籠的資金立即派往其它個股，一樣收獲頗豐。但最令人開心的是在期權教室堂上提醒持有該股的學員，若「滬港通」開車當天該股高開低收，持港交所股票重倉要立即 Long Put。開通當日，收到學員手機報捷「『直通車』變炒車，Long Put 388，跟大戶走一轉」，但筆者不知此兄是否持有正股，因為 1117 次直通車開車當日，388 的即月 180 Put 最低為 1.28，三天後最高是 17.42。

筆者對「滬港通」的觀點在第二篇文〈一錘定音滬港通　一現曇花港交所（20140418）〉已有具體描述，簡單講當時的觀點就是中性，「滬港通」難以成為推動牛市的動力。可惜分析正確但策略運用還是不理想，開始是過早看淡，後期是不夠狠，不夠自信，結果賺得太少，但希望各位看官明白後可以在今後的日子裏賺多些。

上兩週的文章提及中華帝國的絕對意志，為了「滬港通」，各種措施會不斷出台，不單是力保暢通，還要有乘客量，令「滬港通」能有體面地延續下去。所以我們見開車前的週五（11 月 14 日）是宣布三年免稅以助生氣，這種用稅務政策的刺激方案，要令外資基金暫且放心進入，估計只有在中華帝國才能做到。這個消息導致市場認為當天額度會以分鐘計爆滿，討論是 10 分鐘還是 5 分鐘，甚至是以秒計。筆者認為，若市場真是如此，這不是瘋狂現象又是什麼？科斯托蘭尼對股市的描述又一次再現。我們又見開通當日市場反映欠佳，開通後的週五是減息挽頹勢，而且是重手出擊，如此刺激，股市那有不升之理？估計相關政策會陸續有來，大國如此施政，可見皇者傲氣。所以上兩週的文章討論「滬港通」的期權策略，筆者建議要善於用 Long。

此次免税只是面對外資，涉及面不會太寬，而且附帶有時間值，過期可能作廢，目的就是令閣下積極投入。但減息是對範圍甚廣的企業，影響巨大，可是筆者認為此舉有利股市炒作多於有利實體經濟，因為解決不了實體經濟產能過剩，勞工成本升，實際利潤降等等的普遍現象（經濟急速冒起的副產品），也就是説只能降借貸成本但不能創企業實質利潤。上過期權教室 MS（Monthly Strategy）堂的朋友都知，富力地產（2777）是筆者的長期愛股，理由是該股早期曾經是個全負債的中型地產股，筆者絕對佩服這種有 Guts 的人，在中國崛起的大道上，見各路英雄，Guts 比 Talent 更重要。所以筆者用期權策略長期看好富力，這次減息造成該股的升勢令人開心，這個金錢世界的確是越墮落越快樂。

港股進入實質的 A 股化階段，本人尊敬的偶像老曹（《信報》著名作家曹仁超）比喻港股是「清水」，A 股是「渾水」，的確如此，完全認同。但這也令筆者想起毛澤東的名言：「蒸餾水裡怎麼能養魚？」當今中國，按鄧小平的講法是處於讓少數人先富起來的階段，閣下要摸魚，當然是要在渾水中。所以「滬港通」開通後北上的錢遠多於南下，因為北上的金主是世界級的精英，而南下 50 萬開戶的人士則是上文所提及的標準散戶股民，要改變或平衡這種現象並非易事，要靠時間。但問題是若用時間將市場投資者培養成熟，估計屆時「直接通」（Direct connection to the World）更勝「各地通」。

我們此刻生活在中華帝國，港股不單 A 股化，政治也進入 50 年期限的動盪期。「佔中」雖然接近尾聲，但肯定還會以各種表達形式長期化，也就是說我們是處在政治動盪的金融中心，要如何駕馭船隻尋寶，真是要下多些功夫，但也是樂趣所在。可能看些史書多些了解中國近代的帝皇思想和作風，對於理解內地政策的取向會有幫助，從表面片語現象可以推敲出內裏的思維邏輯，再從邏輯套入『期權循環圖』，制定個股中長期的期權策略（中期為 3-5 個月，短期為 30-50 天），選股為主，大市為次。相比收集股市歷史數據做 back test 多了一種方法（可能更為有效），在今後 A 股化的日子裡應該可以運用。閣下若對這種思維方法有興趣，可以去圖書館看 2013 年 3 月《信報財經月刊》的〈歷史哲學〉，筆者有文章題為〈從黑格爾哲學看香港前途〉（編註：為方便讀者，此文已收在本書附錄內）。

2014/06/13

看科斯托蘭尼的書是可以感覺到生活的韻律，他說股市的鈔票是用屁股在板凳上坐出來的。請各位不要以為這是指坐在電腦前操盤——他是寓意等待機會，他要我們學會等。筆者早前也有文章題為：等待是做期權的藝術。

做期權要學會積極地等待

近期環球金融市場的特別之處是：債息跌、波幅縮、利潤低。以歐洲政府債計，過往一年，息率跌幅有 50% 或以上，道理簡單：政府債，危險期度過，安全有保證，自然吸引資金。這也說明持有資金的人都很有錢，有些安全息收就滿足。在這樣的市場環境下，股市波幅也收縮，VIX 和 VHSI 都幾乎見過往一年的低位，可能還要持續。操作期權當然利潤會低，獲利要冒較高的風險。

利往險中求，這不是期權教室所提倡，因為險中求利容易犯本，若長期險中求，犯本的機會十分高。期權教室主要面對中年客戶，提倡避免犯本，做保守的投機者，而保守的投機者在本質上還是投機者，投機者的特徵就是機會主義者，機會主義者就是靠機會賺錢。機會不會經常出現但總會出現，所以面對機會的策略就是要學會等待以及懂得如何選擇開 Long 還是開 Short 的技巧。

教室講的「等」，不是無所事事地坐在板凳上等，而是要做到積極地等待。所謂積極地等待就是對已制定的策略不斷進行動態優化，是有動作的等待，動腦動手都是動作，目的就是要保持優化的策略隨時符合自身的條件，不論升跌，當目標進入了自己的行動範圍，就開始尋找最佳出擊點。

積極地等待應該是期權操作者的一種修養，這是在樂觀情緒下的行為，閣下越是樂觀就會越是積極。在這種積極的心態下，閣下自然就會將優化工作做好，優化工作做得好，閣下開的倉位就一定會穩，越是穩，閣下就越有條件保持樂觀的情緒，本人稱這是心理質素的正循環（upward spiral）。筆者認為這些行為和在這些行為上所花費的時間，對一個準備長期操作期權的人士而言，應該是一種享受！科斯托蘭尼是在放狗散步時思考他的策略，並從狗隻奔前跑後但最終回到主人身邊領悟股市的變動，這正是享受。

上月初（5 月 2 日）本欄有文章題為〈淺談股票期權的選擇〉（編按：該文收錄於《股票期權》書中）。對中人壽（2628）有這樣的描述：『筆者認為「網絡經濟」龍頭騰訊當然要做，但要等次低位的出現，可是「舊經濟」大哥中人壽（2628）似乎出現機會。

中人壽在期權教室的代號是「十八廿二」（讀者應該明白），跌穿 20 正是進入了『期權循環圖』『跌有限』觀察名單。該股此刻是處於今年的三底位，不過有輕微的一底低於一底，是否可以開始分批進場？』

保守的投機者是可以先進場 Short Put 18.50/9 月，收 0.6，這應該是非常穩的開倉，情緒可保持樂觀。5 月 22 日該股裂口上升而且有成交配合，閣下有 0.6 期權金在手，Long Call 20/6 月如何？期權金最低 0.39，最高 0.59，若後知後覺用 0.59 Long，還是未犯本，而且 Short Put 已經進入半熟，隨時可以吃牛扒。若當時閣下認為接多少貨無妨，開 Short Put ATM 20/6 月又如何？這就是動態優化策略。

（圖：中人壽 /2628 股價圖呈現三底）

《期權 Long & Short》之進階篇

本週初在期權教室網頁的每日策略有這樣的描述：『中人壽（2628）昨天高見 22，是準備 Short Call 價，或平 Short Put 換馬到賭股。大行認為要買內險，2628 當然會升，但未來兩年內地收縮難免，2628 是中國股票的最大持倉者，若 IPO 不斷進場，新股一定勝舊股，2628 除了保險金增長外，投資收入實在有限。上月建議 Short Put，本月又是豐收。』這就是用公開資訊操作，積極地等待的個案。

這幾年港交所在推廣期權方面的成績斐然，相信成交亦然，是遠勝過往十年。目前股票期權有 74 個，估計港交所會不斷添加新的股票期權成員，這對保守的投機者來說，是提高了等待的機會率！

2014/07/25

引伸波幅的運用對操作期權非常重要，做指數較為簡單，只需看兩個指數的引伸波幅；但股票則麻煩得多，要逐個看，逐個分析。不過，這也是筆者所講的樂趣，閣下要樂在其中。

操作期權要運用引伸波幅

筆者在《期權 Long & Short》書中提及操作期權要看 Row Data（橫向經過數據化的技術指標）和 Raw Data（未經加工的原始市場數據）以及期權專用的引伸波幅（Implied Volatility / IV）與 Delta 等。篇幅有限，今天的重點是引伸波幅。

引伸波幅通常以等價（ATM/at the money）計，越是價外，特別是 Put，引伸波幅會越高，若與 Call 配合看，期權理論還有 Smiling 和 Skewing 的講法，這些都是引伸波幅的市場現象。我們可以從這些現象，包括引伸波幅在不同月份的表現，試圖分析標的物的趨勢。

引伸波幅是期權模式中的數據，是在期權買賣 Long & Short 成交時所產生的，是即時的動態指標。由於這個數據是在成交時產生，因此對價格，也就是對期權金的影響非常重要。

筆者有做記錄的最高引伸波幅是 2008 年 10 月底，當時恒生指數是在 12730 的水平，等價期權（12800）的引伸波幅都保持在 100 以上。若以此相比，可見目前恒指 IV 12-14，國指 IV 16-18 是在偏低水平，是否有比早前 10-12 更低的呢？可能有，但筆者沒有記錄，若據理推論，應該是 03-04 年沙士時，每天大市成交只有 50 億的時候。不過，本週的大升市，指數引伸波幅也上揚了兩個波幅點。

由於引伸波幅低，期權金偏低，指數期權用 Short 倉獲利的機會有，但風險增加，因為要做近 ATM 的價，除非是用 Long + Short 做鐵禿鷹（Iron Condor），用賺有限，輸有限的策略。若是用 Long，當然可以，但機會少，必須貼市，如 7 月 22 日大升市，指數期權利潤可以倍計。若不能做到貼市，身手也不是非常敏捷，在這種市況下，股票勝指數，因為 77 個股票可以選擇，開倉的機會要比指數多得多。

上篇文章提及 7 月 2 日有三隻新期權登場，其中有金山軟件（3888），開市前一天，港交所報出該股的引伸波幅是 53。這個數據不要說相對指數，即使是全場 77 個股票，也是最高。毫無疑問，該股的策略可以是用 Short 起步，當日最保守的開倉（進取方法另計）可以 Short 8 月 Put 位 21 收 0.50 期權金，無貨在手，若要接貨，用 20.50 持有該股應該可以接受。7 月將過，該股價下跌至 23.40（7 月 2 日收 23.95），但由於引伸波幅從 53 收縮到 35，期權金也收縮到 0.20，可以吃『半熟牛扒』。可能有些朋友會認為這是時間值的因素，對，是有，但由於還未進入 8 月，時間值損耗有限，關鍵還是引伸波幅急速收縮，俗語稱「收 Vol」，導致期權盈利。

以上只是舉一個例，這種機會在股票期權經常出現，但閣下要做功課。股票期權的引伸波幅可以在香港期權教室網頁＞股票期權實用網站＞股票期權每日市場報告查看，每晚 10 點左右會有更新數據，各位不妨看看，是否有心水。若要研究該股的波幅，還可以到香港期權教室網頁＞股票期權實用網站＞歷史波幅與引伸波幅，閣下可能會有收穫。附圖可見，港交所（388）過往引伸波幅保持在 25 左右，但 6 月低至 14，7 月開始上揚，用 Long 做就較為適合，這也是期權教室堂上講的要分 Long 股和 Short 股。

(00388) 香港交易所

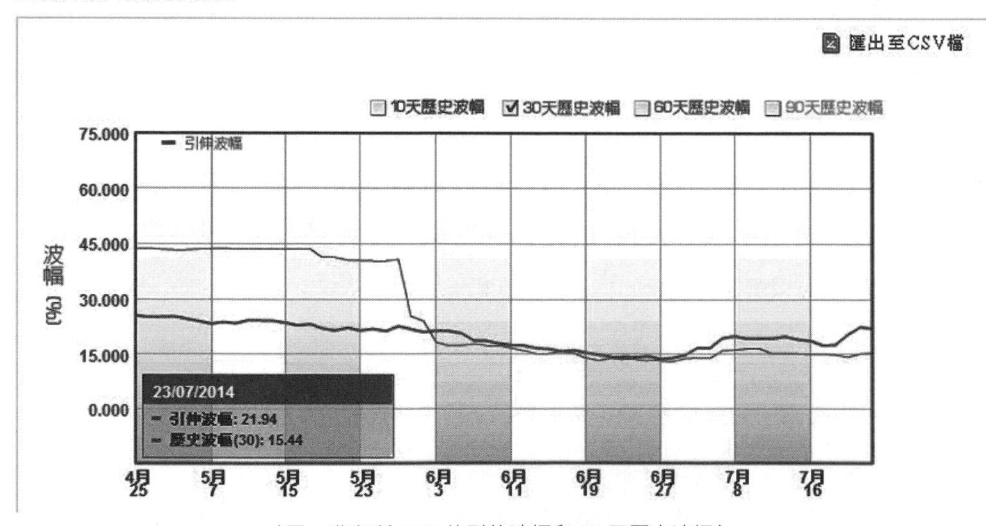

（圖：港交所 /388 的引伸波幅和 30 天歷史波幅）

引伸波幅高當然也意味著波幅大風險高（對 Short 倉而言），這對操作期權是另一個學問，就是如何駕馭風險。由於股票期權是以股票交收結算，股票可以持有，沒有時間性也沒有時間值，以此，選擇不同的行使價配合不同的月份，可以有效地分散風險及運用策略開倉。

展望八月及九月，大市已達 24100 的水平，這是到了對今年的大市頗為關鍵的時刻，成交開始熾熱，情緒開始亢奮，大幅度的上下行都有機會，引伸也會上揚，各位可以做定功夫。

順帶一提香港書展，本週將結束，與以往一樣，人頭湧湧。前幾年筆者有文章批評香港書展成了看「口靚模」的公開場所，令書展失去書的靈魂。筆者曾致函「辣筆女生」王迪詩，要求她拔筆相助，她的文章是以「向裸體賽跑」為題。今年書展的特色似乎是以廚藝書籍為主打，也是各個攤位 Promoter 主力推銷的品種。以此分析，過往是看「色」，今時是為「食」，正是孔夫子所曰：食色性也。

2014/09/05

全球而言，期權成交當然要看美國股市，但運用在美股的期權策略不一定適合香港。同樣，台灣的期權市場也十分活躍，但在香港的操作方法又不一定適合台灣。各地的交收制度，戶口結構都有差異，不過，筆者還是認為香港好！

做期權還是香港好

上週應港交所的邀請去台灣推廣期貨和期權，講了 6 場，包括永豐、日盛、元大、群益、國票和凱基。天氣炎熱，當然有些疲憊，不過，見台灣證券業的規模和企業精神，實在值得學習，筆者也為之振奮。附圖是第一場在永豐，絕對完美的公司演講廳，態度認真的業內聽眾，良好的氣氛給雙方都留下愉快的經歷。

（圖 1：筆者在台灣永豐推廣期貨和期權）

（圖 2：筆者在台灣群益簡介港股期權）

台灣之行，筆者認為對散戶而言，操作期權還是香港好。在香港做期權要保持三個戶口的流通性（如圖 3）：大本營是股票戶口，有現金有股票，指數期權（期貨戶口）和股票期權都是與股票戶口相通，可以根據市況需要，隨時在三個賬戶調動現金。但股票期權與股票戶口則經常是用股票來往。具體講，若閣下 Short Put 要進貨，Short Call 被 Call 貨，股票交收都必須在股票戶口進行。具體方法是：若有股票要做 Covered Call，股票就要從股票戶口搬到股票期權戶口做，這樣的 Covered Call 是不需按金的；若股票期權被 Call 貨，股票就要回到股票戶口出貨。若 Short Put 被行使要接貨，股票也是出現在股票戶口，股票戶口要有現金或有按金買貨。

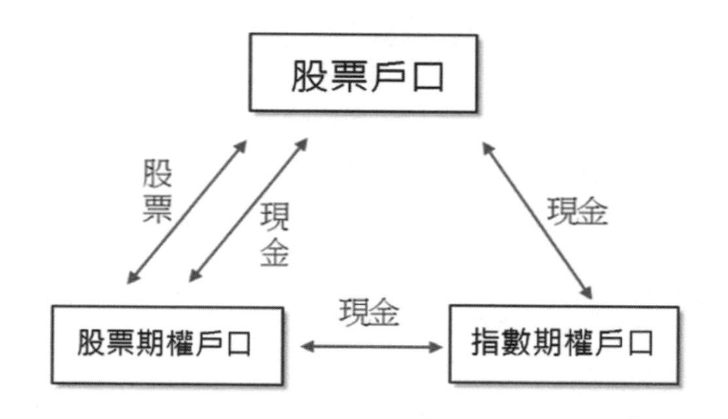

（圖 3：資金及股票需在操作期權的三個帳戶中靈活往來調動）

在香港，大多數證券公司都能做到這種操作模式，因為證券公司和期權公司雖然是兩家公司，但在運作上基本可以合二為一，十分靈活，散戶基本上感覺不到是與兩家公司來往。可是台灣則不能如此方便，證券公司和期權公司是兩家完全分開的公司，各自經營，互相鮮有業務來往。這種現象有些像內地，證券公司與期貨公司明確分家，這樣當然是方便了管理，但損失了雙方業務互通的機會。從散戶層面看，應該更喜歡香港模式，估計「滬港通」後，內地的散戶會踴躍進場香港做衍生工具。

另外，還有結算問題，筆者在期權教室的 Pre 堂就講，結算方法不同，期權策略大異。

在香港，股票期權是美式結算，是用股票交收，而且是到價就可以隨時執行，所以在港交所的網頁每天都有股票期權行使記錄。但在台灣是歐式結算，是以該合約的結算日定輸贏，用現金了結。表面看用現金較方便，不必接貨或出貨，但從另一個角度看，這也是失去了股票運用期權接貨或出貨的機會，降低了做股票期權的技巧性。堂上也講過，股票是沒有時間值也沒有時間性的工具，期權當然可以用搬倉策略，但始終有時間值和行使價的制約，理解了股票和期權的特性，將兩者融合，就可以在任何市況下都能產生利潤，其功效可以令人頗為滿意，所以香港好。

台灣的指數及指數期權的成交都十分大，可能比香港更活躍，期貨香港講多少「張」（按合約計）但台灣講多少「口」。在香港，若不是轉倉期，大市一般每天的成交都有 10-15 萬張（恒指加國指）。但筆者也遇到這樣的操盤人，一個人每月可以做接近 2 萬口，港交所的黃小姐（Irene Wong）與本人都認為是 High Frequency Trade，但回答是：手動高頻。遇到這樣的能人，筆者當然不放過，問及為何不考慮做港股期貨，回答是手續費太貴，再問做台灣指數和香港指數的最大區別是什麼，回答是台灣波幅太窄，香港夠波幅。看來港股的優勢就是有波幅，做期貨是要有波幅才會有利潤，港股是一個具備獲利條件的市場，所以還是香港好。

上月底返港，筆者早前投稿的文章〈博弈與邏輯用在期權〉（略有哲學味道的文章）發表在《信報財經月刊》9 月號，文章較長，若閣下操作期權，作為週末消遣，此文值得一讀。（編註：為方便讀者，此文已收在本書附錄內）。

2014/10/03

科斯托蘭尼認為投機者不要對政治有好惡，筆者領會其意就是要利用政治投機。筆者的第一桶金就是從「六四」獲得，算不算投機，見仁見智。不過，我們生活在政治動盪期的香港，保持對政治的敏感度是必須的。

「佔中」的期權策略

「若發現同步現象出現反向，則要留神」，這是本欄上篇文章的結尾，在期權教室堂上對這句話的解釋是：這種異象不是長期升市，就是暴跌的前兆。

「佔中」突然提前啟動，令 9 月結算日當天大跌 500 點，指數期權若沒有百分百的保護都會錄得虧損，雖然可以用轉倉和反手的策略，但即時的賬面損失難免。股票期權則不同，到位就要被接貨，在24000以下的水平接多少貨，此刻的確是買貴，但不會買錯，可以守，特別是可以做 Short Put，因為無貨在手遇上升市，做期權會難出手開倉。此刻的市況如同「六四」，待低潮過後，做升看上更可取，按科斯托蘭尼的講法就是要站在牛的陣營。

上週六在電視上見警方向學生施發催淚彈，筆者立即前往金鐘，現場的實際情況是人數雖然眾多，但秩序並不亂，學生的情緒還是理性主導，武裝警員雖然嚴陣以待，但偶爾也對示威者露笑容，氣氛不算緊張。筆者當時想，並非發生衝突，何需施發催淚彈？不過安全計，還是接受學生的建議，保持濕毛巾在手。

「佔中」的訴求是可以理解的，也具有普世的價值觀，不含私念，受到不少市民的認同是可以預料的，但影響日常生活太長時間也必定令反對聲音增強。更重要的是在目前香港的政治環境下，這種訴求是否有可能實現，特別是面對強勢無比的政府，即使是將「佔中」長期化，對政府的壓力也是有限，應該會有些軟策略。所以此刻的主動好倉不能開，特別是指數。

受「佔中」對股市的影響，（重陽）節前已跌至 23000 點的水平，這是 6 月底舉行公投時的市況，但預計應該要跌穿 22200 點的水平，這是有「佔中」運動以來的低點，要跌穿才是「佔中」真正對股市影響的內在值。目前恒指波幅指數開始走回反向，指標意義增強，兩天暴跌，目前已升達 20.04 的水平，今年該指數最高為 22.03，是今年 2 月份股市大跌時的紀錄，當日恒指是收 21269。按目前的波幅計，若恒指不回頭繼續再跌至 22200，恒指波幅指數也會達到 22.03。從港匯指數看，似乎看不到資金在流走，市場只是在觀望。所以，要看波幅指標（見圖），見回落才開始考慮進場，寧可慢，也不能進取。

引伸波幅也有明顯提升，但相對跌幅，引伸波幅漲的幅度並不大。9 月初的最高點是 25356，引伸波幅只有 12-13；月底的最低點是 22860，跌幅達 2496 點，引伸在 21-22 的水平。以單月跌幅近 2500 點計，引伸波幅漲至 30 也不為過。這種現象可能說明市場人士對後市還是有信心，最起碼是還未擔心，但事態蔓延，擔心情緒加劇，引伸波幅就會迅速拉高。

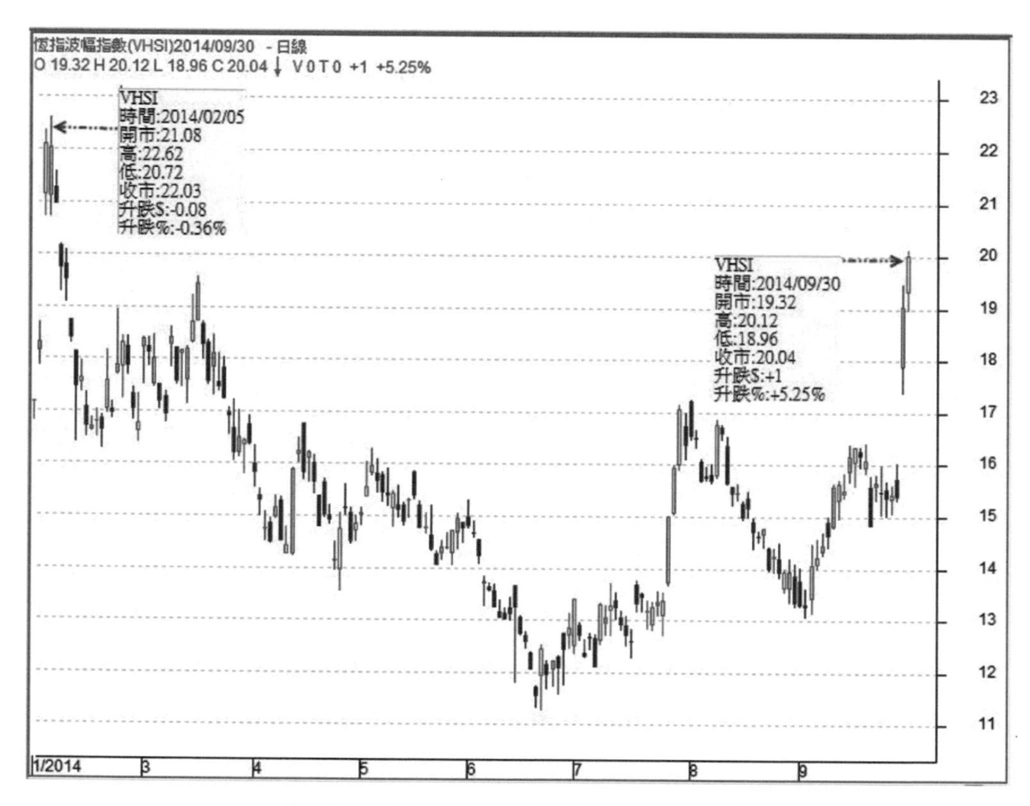

（圖：2014 年 2 月至 9 月恒生波幅指數 /VHSI 圖）

2014/10/17

金融市場的機會就是恐懼和貪婪，只要閣下跟隨巴菲特的講法：恐懼時買進，貪婪時沽出，要賺點錢不難。「佔中」後期買進，特別是用期權開好倉的確是不錯的選擇。

佔中期的 Long & Short

對「佔中」的處理手法基本明確了，中央已説明若非出現殺人放火搶劫，解放軍不會出動，香港警方承諾只會使用最低的武力（發洩情緒暗中打人另計）。香港特首認為這不是革命，但中央港澳官員（影子特首）認為是革命。一國兩制，但兩種觀點，這是可以引發相當不同處理方法的觀點，我們庶民應該聽誰？是否應該在「佔中」與「反佔中」撕裂後再度撕裂，分成聽香港特首話的和聽影子特首話的？其實香港這個試管社會遲早要細胞分裂進化，不如趁這次「佔中」痛痛快快地來一次，就好像跌市中會出現終極一跌，起死回生，得到改變。

在期權教室網上的文章反覆提及出現小股災的可能性，上次股災的主題是歐債危機，這次美股大跌的主題是什麼呢？報導是擔心經濟前景和非洲病毒，若只是如此，這次跌勢會是略有深度的調整。擔心過後，情緒恢復，股市還是會上揚，因為此刻資金還是非常充裕，要賺多些，市場人士還是願意承擔風險，所以優勢仍在股票。

上兩週的文章提及要準備恒指波幅指數 VHSI 見 22，這兩週已達數次，執筆時最高曾見 23.63，但是出陰燭，可能説明此刻的承接力已現。若處理佔中的手法如上所述，佔中導致的大跌可能會是告一段落，雖然上兩週的文章認為要準備跌至 22200 的水平，但此刻暫且看 22565 點。

《期權 Long & Short》之進階篇

目前恒生指數的 PE 在 10 的水平，若同美股的 PE 約 15 相比，當然便宜，不過若然美股繼續大幅下滑，則要另計。佔中開場，Long 價外 Put 看門口是標準動作，上文提及的是 22200 的水平。如今有回穩之際，操作期權可以考慮開 Short Put，開 Short 的難處是不知如何選擇行使價，在期權教室上基礎堂講，選擇行使價和月份是選擇風險，選擇正確，成功一半。此刻的底看來較明顯，就是本月的低位 22565，行使價可以是 22600（進取者）或低於 22400，有 22200 保底，Credit Spread 風險有限，月份選擇當然是本月，還有 9 個交易日見分曉。若見勝券在握，就應該運用 1/3 的利潤在下週中段試月尾 Long，也就是用 30-50 點的利潤追逐等價期權。日波幅增，月尾 Long 勝算高，若決定做，就一定要做準備，分析 Raw Data 是基本功課，月尾 Long 的具體操作在《期權 Long & Short》有詳細描述。

操作股票期權，近期較值得留意的是港交所 388，該股一直是十大期權成交的主角，是市場追逐的對象。新聞報導 LME 要加價，收入增應該是利好，而且在港交所的產品中很快會有商品期貨，更是利好，但遇到外圍跌，這個主力股當然也要陪跌。這是「滬港通」的概念股，充滿想像力，即使推遲，股價也不會有大影響，今次難得回落，應該開好倉 Short Put。

長江 1 號的基本策略是環球化，在香港是極少數公司可以成功做到，該股是長期持有的佳品。受「佔中」影響，被沽必然，見跌至重要的支持位 125 大元，成交明顯增加，隨即反彈。持有該股一張就要十多萬，是香港最貴的股票（編按：在 2015 年長實重組為長和及長地之前，長實一手是 1000 股），對資金有限的散戶，可能用 Short Put 賺期權金更可取。

濠江賭股也是選擇，賭股下跌不是受「佔中」影響，但看圖似乎是到的『跌有限』的 Short Put 階段。筆者認為賭業職工出現工潮和成立工會是好事，令勞資雙方有正常的溝通渠道，問題可以協商解決，會令這個行業能更健康發展。澳門賭業正在往會議和度假轉型，這也是符合市場對賭業的需要，這是只要去做就會有生意的行業，一定有前途，拉斯維加斯已有豐富經驗。所以會議看老外的金沙，度假看港人的銀娛。

筆者認為期權操作者都是機會主義者，具有捕捉機會的本事，教室的講法是 Hunter，因此是投機者不是投資者。在金融亂象的今天，特別是在香港，我們應該〈做一個保守的投機者〉——這是本欄 2008 年一篇文章的標題。

2014/11/14

所謂「滬港通」時代，也就是港股開始進入 A 股化的時代。因為在港股的成交中，南下的資金將越來越多，資金的投資風格當然代表金主的觀點，這些南下資金當然比港人更懂國家政策，消息更靈通，投機性更強，成為香港市場人士追逐和模仿的對象。當這種現象成為主流，港股就是實質進入 A 股化。

這是歷史的必然現象，我們一定要有準備，特別是心理上的準備，要做強國人，Are You Ready ？

滬港通時代的期權策略

最近這幾個月，恒生指數等價引伸波幅保持在 20 以下的水平，執筆時恒指等價是

17.12，實在不能算高。由於引伸低，期權金也縮，所以本欄早前認為做股票期權勝做指數，因為大多數股票的引伸波幅都比恒指高，有些保持在 40 的水平，日波幅更是顯著，所以每個月開 Short 倉的收益應該都能令人滿意。若有時間看市，捕捉幾個 Long 的機會也不是難事。

但隨着時間進入深秋，這是個多事之秋，充滿各種變動，我們似乎要不斷尋找市場的主旋律，理性地制定自己的期權策略。

港大的民調顯示香港人認為自己是中國人的不足 10%，但見京城 APEC 顯示的大國風範，我們可以感覺到中國的 GDP 很快就是世界第一（人均不計），恢復當年清王朝的威風（當時美國還未建國，所以清朝的 GDP 全球第一）。近期英國著名金融雜誌的封面是習主席的漫畫，標題是 Emperor Xi，歷史正在重複她的特性。今時今日，對中華帝國來説，俄國從老大哥變成小老弟，只有老美才可以平起平坐，其他諸國都是參拜者，這就是大國！中華帝國的統治者歷來都是絕對意志者（substantial will），要做的事就非要做成不可。因此，從經濟角度出發，我們不能錯過乘搭 GDP 全球第一的快車，否則會十分後悔。還是要記住科斯托蘭尼的名言：不要有政治的好惡。

我們先看港股，佔中是一個話題，但因為不會有武力清場出現，對股市的影響微，即使下一步進入議會全面不合作抗爭，金融市場的反應估計也是有限，因此不必為佔中再買保險。市場的主旋律是港股進入「滬港通」時代，雖然市場上有聲音認為「滬港通」利 A 股多於利港股，但我們不要太介懷，因為這是絕對意志，一定要成功。我們已見人民幣兑換撤限，還要留意的是人民幣參考匯率出現近期最大升幅。稍後，只要有困難，就會有立即的解決方案，以國力傾注，何事難成？因此，我們還要往廣度看，看開「深港通」，可能會是「全球通」，甚至出現大中華指數，往後的日子不愁寂寞。

我們已見港股的日波幅開始增加，港股 A 股化進入實踐階段，我們要學的是如何適應。目前恒指的 14 天 ATR/N 值不到 300 點，也就是說我們可以期待每日有 300 點左右的波幅。按 ATR/N 作者的經驗，出現 1-2 個 N 值的波幅是具有頗高的機會率，也就是說我們可以預計最高可達 600 點的波幅。

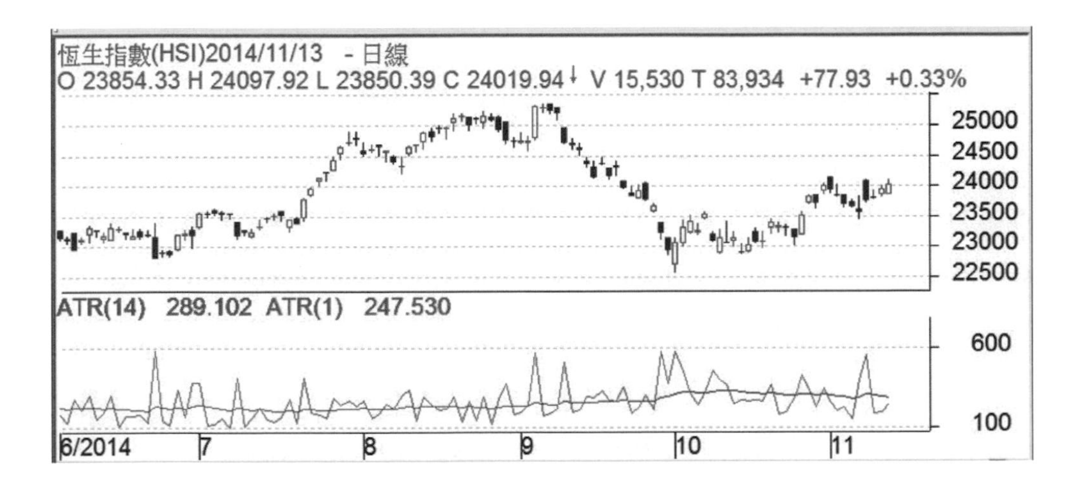

（圖：恒生指數 2014 年 6 月以來的 ATR/N 值）

雖然此刻 IV 偏低，但若能利用這樣的波幅開倉做指數，效果也會令人滿意。具體方法可以是在 ATR/N 單日值遠低於 14 日值時就要準備開 Long，機會一出現要立即動手。A 股的特色是可以升幾個停板也可以跌幾個停板，也就是說趨勢一旦出現就會有短期持續的特點，令波幅增大，這是十分有利運用期權的組合策略。懂得用 Long 做指數，只要有一個方向的大波幅，足矣。有 Long 在手，其後策略可以變化萬千，屆時才是考驗閣下的真功夫，如本人書上所寫：進場是徒弟，離場是師傅。若讀者實在有興趣，也可以參考

《期權 Long & Short》之進階篇

本欄2011年5月的文章〈Long在手　Short風流〉（編按：該本收在《指數期權》書內）。

我們再看A股，在絕對意志的驅動下，A股破位2450點，短期估計難以回頭，若起碼要有10%以上的表面進賬，2700－2800點是目標，此刻是大漲小回，處於上升期，較明顯的獲利回吐時機未到。但A股目前已達2500點，還有200多點的升幅，也不是距離太遙遠。

美股又如何，指數在一連串屢創新高後，獲利回吐必然。我們已見美股波幅在收縮，成交在減少，即使出現正常調整，由於升幅已巨，從16000計的回調波幅也不會小。可能這是近期最重要的負面因素，希望今年不要發生，平安過聖誕，但是此刻我們一定要保持警惕。綜合以上觀點，此刻的期權策略應該是宜短不宜長（筆者是指開倉時間不是指長倉短倉）。

本月16日，這個週日，在灣仔會展有港交所舉辦的ETF & Option Expo，筆者是Option的應邀講者，開始時段是下午3點，各位有時間不妨去湊下熱鬧。

2014/12/12

期權是波幅性產品，在波幅小與波幅大的市況，策略可以非常不同，還要分是操作指數還是股票。因此，心理狀態和經驗都非常重要，閣下要在實踐中找到適合自己的方法，然後不斷實踐，總結經驗。

單日波幅擴　期權 Long & Short

一個月前，本欄有文章題為〈大市波幅增　期權利指數〉，今天此篇文章可以視作上文的續篇。

提及近期的波幅，本人強調的是日波幅，不是趨勢波幅，因為 11 月至今的歷史波幅只有 1144 點（11 月 17 日高位 24313 及 12 月 11 日低位 23169），以 1144 點看大市的月波幅，實在不能說波幅大。但若從這兩個月的日波幅看，則明顯高於今年下半年各個月份，附圖是恒生指數的 TR 及 ATR(14) 值，其中 TR 達 500 點以上的日子就有 7 個之多，平均計每週都有。

（圖：恒生指數的日絕對波幅 /TR 和其 14 天平均值 /ATR(14)）

這種現象在日波幅擴大的日子，對操作指數期權十分有利，因為只有一個或兩個標的物（HSI/HHI），方向基本一致，閣下可以非常專注運用 Long & Short（這也是筆者期權書的名稱），若是熟手技工（skillful trader），還可以將期貨加入，令倉位有聲有色。股票期權當然也是機會，但閣下必須精於選股，還要分看跌股和看升股，標的物多，Call/Put 行使價更多，要迅速做到上下其手，略有難度。

這次上證股市出現的井噴現象，表面看這是內地的瘋狂行為所致，但這種現象也是在中華帝國的初期才會發生，筆者描述為豪放的投機尋夢，相信許多細節可以寫進金融教課書，以示後人。筆者相信，若是再降息、降準，會令更多資金進入股市，市場會更瘋狂，更具賭性，當年舊上海金銀市場醉生夢死的現象會再現，當我們見到這些行為帶來的副產品時，根本不必驚訝。

見如此升幅，學術派的人士開始為 A 股重新估值，估值當然是金融業的理論動作，但應該是定期估值，不可能是見到有巨大的波幅與原先的估值相差太大，才立即進行重新估值，修補相差。此時是大升，若是大跌又如何？市場行為是充滿投機性，若對投機行為的結果做理論分析，這只不過是是用理論重新包裝行為的過程。

近期的單日大波幅要多謝「滬港通」，如此國策，沒有大成交何為有宏觀業績？政策導向下 A 股放出天量，港股 A 股化，成交增也是必然，但成交增是否能帶來牛市是另一回事，因為是牛是熊最終是市場行為。所以，隨著港股 A 股化，保持大成交，較高的日波幅將會是常規現象。

在日波幅大的日子，運用期權 Long 十分重要，在期權教室上課時，筆者非常強調指數期權和股票期權的不同之處。在散戶層面，股票期權 Long，經常是用於直接獲利，基本上是方向性操作；但在指數，不一定用 Long 獲利或用於方向性操作，更大的功效可以是作為用於提高本金的工具，令進場的槓桿倍增。

指數期權開倉，張數與資金是紀律，這是指在沒有保護的情況下開 Short 的資金要求，期權教室在 good starting is half done 有明確的說明。若閣下的資金只可以開一張 Short，但只要有一張 Long 對方向的倉位，閣下就可以開兩張 Short。若有開兩張的資金又有兩張 Long 對方向，閣下就不是只開 4 張，而是 5-6 張，令 Short 的持倉增加。筆者建議指數期權倉的結構應該以 Long & Short 為主，真正的獲利點在 Short，所以提高 Short 的能量是制勝關鍵，特別是開 Debit Spread。

筆者的建議是先 Long 後 Short，本欄 2011 年 5 月 6 日有文章題為〈Long 在手 Short 風流〉（該文收錄在《期權 Long & Short 之指數期權》），說明 Long 的重要。但在日波幅低的日子，即使閣下 Long 對方向，但要夠波幅開 Short 還是要等，有時等的時間過長，特別是月中後，Long 本身也存在時間值收縮的風險，很考技巧。但是近期的日波幅經常有 500 點以上，只要能捕捉到 300 點左右，即日就可以完成 Long & Short，成功的機會率大增。

當然，有投機者會認為能捕捉 300 點，做期指不是更好，對！但萬一方向錯又如何？若閣下付 100 點開 Long，方向錯可以用 50 點平倉，也只是輸 50 點；但若閣下開期指，在大波幅的日子裡，50 點是幾分鐘的市況，所承受的心理壓力完全不同。期貨在期權世界非常有作為，筆者是用 Long & Short + Futures 描述指數期權，這會是今後討論的話題。

今天是本欄 2014 年的最後一篇，希望各位在假期練好身手，迎戰 2015 年的顛簸日子，若有興趣看看《期權 Long & Short》，也是一個選擇。最後，祝各位聖誕快樂新年進步！

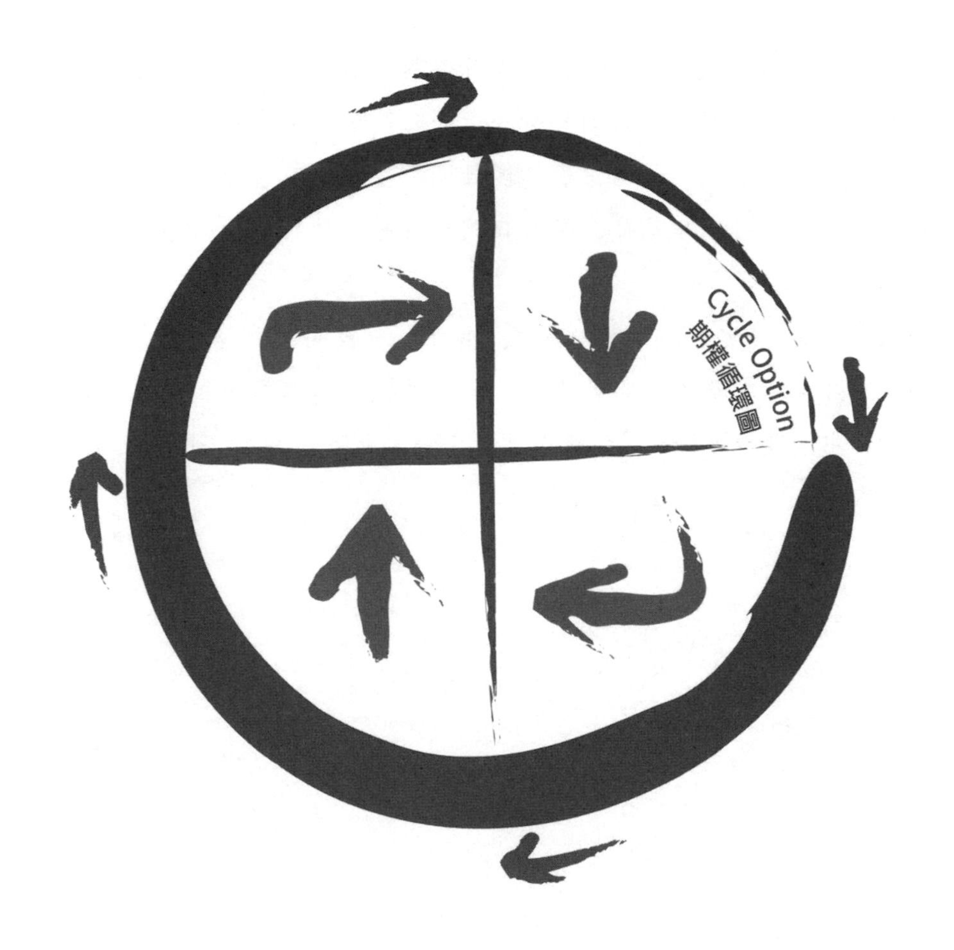

附錄

哲理文章三篇

作為期權心理篇的最後部分，筆者要借用香港嶺南大學實踐哲學課程學員的名義，用筆者在《信報財經月刊》所發表的三篇哲理文章作為結尾。哲學與心理息息相關，是我們在生活中表達理性的重要工具。當然，筆者所指的不是學術哲學，也不是心理治療，而是我們日常生活的哲理與心態，是大眾都能理解的知識。

操作期權，筆者非常認同華爾街朋友 Martin 給我的評語：Humanized Option Trade。因為這就是操作要生活化，而大眾的哲學與心理正是充斥在我們生活的細節中，運用邏輯，尋找必然，檢查概念，經常反省，十分有益。

2012.05　信報財經月刊

這篇文章雖然是講香港的剩女（Matching-Missed Ladies），但概念是來自或然性（Probability），這是對機會的分析，也就是將機會分門別類，輕重定調，仔細推敲，這個過程本身就是充滿理性的行為。

本文主要是講可能性預測（Pre-Possibility）於配對機會，其實，操作期權更是機會的運用，若閣下能將操作期權的各種機會因素細分，定出適合自己的規則，自我監督執行，閣下操作期權也一定會成績斐然！所以在《期權 Long & Short》書中有追求七全八美的文章，因為十全十美無法追求，剩下的不全不美就是我們應該承擔的風險。

文化研究 ▌杜嘯鴻 香港嶺南大學實踐哲學系研究生

香港剩女問題理性探究

所謂香港剩女大多是優秀的工作一族，問題是她們長期沉浸在工作滿足感中，沒有時間也不懂得去策劃生活。從哲學的意義上說，理性的生活是要策劃的，目前的存在反映過去的策劃。

從廣義的角度上解釋哲學，就是理性和關聯性。哲學主要研究的是人的學問，所以會強調只有理性才能體現人的價值，理性的生活就是好的生活。因此，用哲理觀點解釋人文現象是既有意義而又有趣的。學哲學也會學到或然性（Probability），其理論就是在統計學的基礎上對選擇（Choice）和機會（Chance）做出理性的判斷，是量化衡定可能性

（Possibility）的分析工具，在保險業和賭業使用較多，日常生活則鮮見。

為了方便廣大讀者理解，筆者將或然性（Probability）的意義簡稱為：可能性預測（Pre-Possibility = Prediction on Possibility），這樣可以令看似深奧的哲學理論能夠容易明白以及令讀者有興趣去實踐。由於做判斷是人的理性行為，雖然或然性（可能性預測 Pre-Possibility）是屬於高層次的分析工具，但實際上是十分適合在當今複雜的社會活動中運用，甚至是做商業決策。當然，要做到能學以致用，這涉及到要大力改革該門哲學科目的教學目的和方法，以迎合社會需求，不過那不是本文的內容。

剩女是香港口語，不含貶義，筆者翻譯為：Matching-Missed Ladies。這是香港人的典型配對問題，涉及到統計、歸類、評定，最後要對如何做選擇時增強機會提出理性的判斷。聖誕假期已到，跟著是新年、春節，是眾男女的社交季節，求偶機會。筆者冀望此文可以為有需要的人士提供一些新的觀念，在較為講究理性的行為中又不失其人性自然的趣味。

筆者認為，當今香港職場女性的地位不斷提高，這並不是女性近年來在教育水平和智商方面突然比男性增強，從而提升了工作能力。這應該是香港社會轉型後（脫離製造業），女性有較多的機會發揮其所具備的先天優勢。

我們可以概括性地從三個主要方面探討：

歸屬感 /Sense of Belongings

一般而言，男性對工作的不滿足感會比女性強，香港男性總是希望有自己的一片天地，所以打份工的歸屬感一般較低。但在同樣工作條件下，女性的不滿足感要低得多，導致歸屬感強。這裡有先天和後天因素：先天因素是大多數女性是以嫁給一位男性為人生的目的，所以歸屬感是與生俱來的；後天因素是在香港高度競爭的社會上工作，女性較易獲得滿足而不會輕易求變，所以在工作上自然會流露出歸屬感。

忍耐力 /Patience

在同樣的工作環境下，女性大多數都比男性具有較強的忍耐力，當男性表現出「頂唔順」時，女性往往還是「頂得住」，甚至可以做到逆來順受，承受較大的壓力。這可能與女性要生育和要長時間撫養子女的天性有關，忍耐力是女性的本性之一。

服從性 /Compliance

由於女性大多數在工作中容易獲得滿足感，所以願意服從上司，即使上司水平一般，女性也會較男性表現出樂意接受上司的指點，雖然在許多情況下都可能只是表面功夫以達至粉飾工作為目的，但女性的表現要比男性自然。這也是因為聰明的女性天生就懂得在家庭中扮演不同的角色。

這三點都是女性的天性，也是令女性地位得以快速上升的推進器和潤滑劑，結果造成在職場人口中，中等能力和地位的女性明顯多於男性，這也是香港社會轉型後的必然現象。

以下有兩份可能性預測表（Pre-possibility），來自 C 先生（表 1）和 X 小姐（表 2），他們都具代表性。

我們先解析表格的各項數據和使用方法：

男士與女士級別和級別點數

這是兩個固定數據，不能改動。級別是指個人能力，分 10 級，1 為最強，10 為最弱，男女一樣。級別點數是男士 1 級是 1-9 點，10 級是 90-100 點；而女士的計法相反，女士 1 級是 90-100 點，10 級是 1-9 點。較佳的相配以接近 100 點為美滿，一般情況是在同級別中，配對容易產生。

分佈比例

男女人口按個人能力級別分佈的百分比，列出在表格的第三欄和第七欄中。這個分佈比例是由參與者自我調整的，因為不同的行業，其分佈比例可以有較大的差異，只是要留意總數必須為 100。C 先生和 X 小姐都是按自己的工作環境及生活圈子，調整自己認可的分佈比例。

擇偶主要十項（列出十項容易計分）

十個項目的內容制定可以跟據參與者的具體工作和生活環境自行改變，但十項和 100 滿分不能變。這是以自我評分和擇偶求分組成，在十項中是以 100 分為滿，不能超越。自我評分容易，因為知道自己的強與弱。擇偶求分則要小心，若男方要求女方外貌身材 30 分，年齡 30 分，也就是要求年輕貌美，那其它 8 項只剩 40 分，也就要降低其它各項的要求。又比如女方要求男方經濟條件 50 分，也就是要嫁個有錢人，那剩餘的只有 50 分可分配在其它 9 項中。參與者對此要有清晰的認知，這是頗為重要的自我平衡環節。

聰明人一眼就看到，若男士的自我評分與女士的擇偶求分接近，或女士的自我評分與男士的擇偶求分接近，就有機會出現。但客觀的現實又不是如此簡單，因為這種機會的可能性又與級別相關。

自定級別和擇偶級別

完成了分佈比例和擇偶十項，就要理性地確定自己的級別，然後再定出自己希望的擇偶級別。

讓我們具體做可能性預測（Pre-Possibility）分析：

C 先生在擇偶主要十項中，自我評分和擇偶求分都合理，現實生活中存在。C 先生自定級別是第 5 級，擇偶級別也是第 5 級，級別點數是 40~49 + 50~59，接近 100 不難。分佈比例，男士是 18，女士是 30，也就是男 / 女比 1:1.66，男士的機會十分高。C 先生做出了聰明的選擇，他可以堅持他的擇偶分數要求。

X 小姐在擇偶主要十項中，與 C 先生一樣合理。X 小姐自定級別是第 4 級，高於平均的能力的第 5 級，擇偶級別是再高一級的第 3 級，級別點數是 20~29 + 60~69，要接近 100 略有難度，除非是女士 4 級中最優秀的配男士 3 級中最優秀的，令級別點數成為：29 + 69 = 98。分佈比例，男士是 6，女士是 21，也就是男 / 女比：0.28:1，女士的機會頗低。但若 X 小姐擇偶級別放低到同級的第 4 級，級別點數是 30~39 + 60~69，接近 100 不難。分佈比，男士是 13，女士是 21，也就是男女比 0.62:1，女士的機會略增。若 X 小姐可以接受擇偶級別是低一級的第 5 級，也就是最多的分佈比例，級別點數會是 40~49 + 60~69，超越 100 都有機會。分佈比例，男士是 21，女士是 21，也就是 1:1，女士的機會比較高。

在級別上做選擇可稱之為宏觀調整，但也可以做微觀調整，在擇偶主要十項中做取捨。若是擇偶級別高一級，就應該降低擇偶求分，也就是不到要求分數也可接受。若是同一級，機會略增，則只需略為調整擇偶求分。若是接受降一級，機會大增，就可以堅

男士級別	級別點數	分佈比例	C 先生自定級別	男女級別點數相加接近100為美滿	C 先生擇偶級別	分佈比例	級別點數	女士級別
1	p1-9	2				1	p90-100	1
2	p10-19	4				3	p80-89	2
3	p20-29	6				5	p70-79	3
4	p30-39	15				18	p60-69	4
5	p40-49	18	*		*	30	p50-59	5
6	p50-59	24				18	p40-49	6
7	p60-69	12				9	p30-39	7
8	p70-79	8				6	p20-29	8
9	p80-89	6				5	p10-19	9
10	p90-100	5				5	p1-9	10
		100				100		
			Mr. C self-rated scores C 先生自我評分數	The main 10 of mate 擇偶主要十項	Mr. C spouse seeking scores C 先生擇偶求分數			
			15	Education/教育程度	10			
			15	Looking/外貌身材	4			
			10	Family/家庭狀況	25			
			12	Character/性格	4			
			10	Occupation/職業	8			
			5	Age/年齡	8			
			10	Area&Race/地區及種族	4			
			5	Financial Status/經濟條件	25			
			8	Religion&Hobby/宗教與興趣	10			
			10	Health/健康	2			
			100	Total Score can not exceed 100 總分數不能超過 100	100			

（表 1：C 先生的男女級別和擇偶十項的自我評分和擇偶求分）

Male level 男士級別	Level ponts 級別點數	Distribution ratio 分佈比例	Miss.X desired mate level X小姐擇偶級別	Level ponts of Male + Female close to 100 for the happy point 男女級別點數相加接近100為美滿	Miss X self-determined level X小姐自定級別	Distribution ratio 分佈比例	Level ponts 級別點數	Female level 女士級別
1	p1-9	2				1	p90-100	1
2	p10-19	4				3	p80-89	2
3	p20-29	6	*			5	p70-79	3
4	p30-39	13			*	21	p60-69	4
5	p40-49	21				28	p50-59	5
6	p50-59	17				18	p40-49	6
7	p60-69	13				9	p30-39	7
8	p70-79	11				6	p20-29	8
9	p80-89	8				5	p10-19	9
10	p90-100	5				4	p1-9	10
		100				100		
			Miss. X spouse seeking scores X小姐擇偶求分數	The main 10 of mate 擇偶主要十項	Miss. X self-rated scores X小姐自我評分數			
			15	Education/教育程度	12			
			10	Looking/外貌身材	15			
			10	Family/家庭狀況	10			
			20	Character/性格	20			
			7	Occupation/職業	6			
			3	Age/年齡	8			
			3	Area&Race/地區及種族	2			
			15	Financial Status/經濟條件	10			
			2	Religion&Hobby/宗教與興趣	2			
			15	Health/健康	15			
			100	Total Score can not exceed 100 總分數不能超過 100	100			

（表 2：X 小姐的男女級別和擇偶十項的自我評分和擇偶求分）

持自己的擇偶各項求分。這種十分理性的行為就是令閣下做選擇時提升機會，但筆者在此要強調的是，若在宏觀或微觀上作出了調整，這種行為本身不應該成為自我的心理陰影或是形成長期的悔恨，因為閣下已認同這種現象。不論如何，配對就是一種理性的選擇。

所謂香港剩女大多都是優秀的工作一族，問題只是當她們長期沉浸在工作的滿足感中，沒有時間也不懂得去策劃生活（project the life）。因為從哲學的意義上說，理性的生活是要策劃的，你目前的存在就是反映你過去的策劃。

筆者建議有需要的人士花些時間，按照表格，自行參與可能性預測（Pre-possibility），做完整個過程就可以體驗一次理性的生活策劃。

本文章是解釋擇偶的理性行為所產生的機會以及對這種機會的可能性預測，其方法是要先嚴謹而又仔細地建立有關聯性的主觀和客觀的條件性數據（to constitute a background condition with relative evidence），然後才進行比較分析，最後做理性決策。這種方法就是筆者提出的：可能性預測（Pre-Possibility）。在涉及到人的行為，人的主觀意志要與客觀條件相配合的思想領域，大家不難發覺，當今的許多社會活動都可以運用。

不過，行文至此，也要提一提今年去世的，一心要推動世界的人——蘋果電腦的創始人史提夫 ‧ 喬布斯（Steve Jobs）。在他追求最完美的產品去推動世界的短暫一生中，精彩脱俗。但細看他在處理人和事的問題上，運用的不是哲理，而是他所一直強調的：直覺（intuition）。他的成就是否也可以讓我們模仿呢，完全憑直覺的感觀做出決定。這樣當然可以，可惜成功率低，畢竟這是天才與凡人之間的差異（直覺在擇偶就是一見鍾情）。

2013.03 信報財經月刊

馬克思是共產黨人的老祖宗，作為巨著《資本論》的作者，馬克思也是在黑格爾的辯證法中汲取了許多靈感和得到啟發。黑格爾歷史哲學的可讀性非常高，他提出的是歷史的必然性，觀點明確，邏輯極強，令人眼界大開。

筆者運用「黑」觀點分析此刻處在政治動盪期的香港，可能有指導意義，幫助我們理解目前所處的時空環境，非常值得各位細讀。筆者有時翻閱，也有新的思考。

筆者早前提出 Short Call Hong Kong，而且要繼續，目的是要獲取精神利潤，因為只有這樣才能享受在香港的生活，不然，我們就要學大智慧者，不是人離香港，就是錢離香港。

歷史哲學 **杜嘯鴻** 香港嶺南大學實踐哲學文學碩士課程學員

從黑格爾哲學看香港前途

香港自身發展的機遇就是要充分利用餘下這34年的過渡期，期待內地政治改革出現突破，以及利用十八大首次提出「海洋強國」可能給香港帶來地域功能的機會。

讀黑格爾歷史哲學（人文精神）看今天香港

（圖：黑格爾 /G.W.F. Hegel（1770 - 1831), German）

德國哲學家黑格爾的哲學洋洋大觀，本本巨著，本文要探討的是其歷史哲學的社會人文觀點：**社會發展要以人文精神為標杆，而人文精神和人文思想決定了社會發展會重複在某個特定階段**。筆者認為讀歷史哲學的目的，就是通過研究過往的歷史，哲理性地找出現實中的意義。這就是所謂：學習過去，了解今天，為了明天。

簡述

黑格爾的歷史哲學觀最獨到之處，就是辯證法，用於推論歷史，指點人文，是一套精彩的邏輯思維方法。後來者馬克思也是在黑格爾的辯證法中汲取了許多靈感和得到啟發，寫出了關於共產主義的巨著。黑格爾具體地運用辯證思維的邏輯概念，推斷歷史發展的必然性，或者説是找出歷史發展的方向性。他首先將世界歷史的人文發展分成四個階段：

第一階段兒童期：

不能給太多的自由，不能強調自我，要家長帶領。中國為代表。

兒童期的特點：社會處於「**皇權統治**」和「**家長帶領**」，人文精神是接受 Substantial freedom/ **絕對自由**（沒有個體主觀自由的實體性自由）和 Substantial will/ **絕對意志**（沒有個體意志的實體性意志）。因此，社會是反覆地重複在特定階段，除非有重大的變動令其改變。

第二階段青年期：

個體極為自我，人人嚮往自由。希臘為代表。

青年期的特點：非常嚮往自由，熱烈地追求愛和美。但屬於城邦形式的區域性生活，難以發展。

第三階段成年期：

版圖大，只能攻不能守，有自由也要服從。羅馬為代表。

成年期的特點：個體有充分的自由，但必須服從國家的擴張意志，可惜版圖太大，根本不可能管制也難以成長。

第四階段成熟期：

君主立憲，成為公民，人人有自由也有義務。日耳曼為代表。

（注：日耳曼是指德語區，法蘭西及英格蘭，以語言劃分。）

成熟期的特點：主張議會形式，體現民主，**以此衡量「集體」**和「**個體」的統一性和自由性**，令個體和集體之間不斷地尋找平衡點，形成可以不斷地持續發展的社會模式。

我們要留意的是：這四個階段雖然有進化的次序，但不等於會進化。由於人文的特性，黑格爾認為社會發展會反覆重複在特定的階段，只有通過巨大的變化，改變人文思想，進化才能產生。這是非常深刻但頗具爭議性的觀點。

此外，黑格爾的歷史哲學還有地理環境對社會發展的觀點，黑格爾將世界分成三種性質不同的地域：一）乾燥的高地草原；二）大江河流的平原地帶；三）海岸地區。觀點是地理環境不同，經濟生活和職能也會不同。

中國人文發展的兒童期

黑格爾生活的時代是中國清朝的乾隆、嘉慶、道光年間，是大清帝國的輝煌時期，當時美國剛建國（1776 年），按國家計，當時中國的 GDP 已是全球第一。由於中華帝國的傳統是在**絕對自由**（Substantial freedom）的統治下，因而也產生了**絕對意志**（Substantial will），皇帝可以舉傾國之力做他認可之事。明朝的壯舉：鄭和下西洋（早於哥倫布「發現」新大陸），已向世界宣示了中華國威，令世人嘩然，是故西方有史書名為《1421: The Year China Discovered The World （1421 年 中國發現世界）》。改革開放後的 2008 年北京奧運，也是令世界重新關注中國。但即使中華帝國當時是處於如此輝煌的年代，黑格爾對中國的批評還是毫不留情，只是讚揚中國的知識分子把中國的歷史記錄得如此詳細。

黑格爾認為：『**中國的人文發展是長期處於兒童期，沒有自我為核心，長期是家長教育，中國的傳統人文決定中國人的奴性，而奴性的特點是不知道自己在受壓迫，更不知道自己可以解放自己，個體「精神」特質遠離中國人。**』

黑格爾十分強調重大的歷史事件對人文思想的改變，所以，筆者的重點是以中國近年的重大歷史階段：文化大革命、改革開放以及 1997 香港回歸，探討中國的人文精神，本文是香港回歸部分。

殖民史改變了香港的人文精神

歷史的**偶然性**改變了香港，大英帝國（英格蘭）將中國南部海岸的這個邊陲商貿漁村，造就成香港具有東方之珠的美譽。百年的殖民地歷史改變了香港傳統的地域功能（傳統是大江河流的平原地帶所管轄及要為內陸服務的海岸地區），將香港推向世界，令世界認識香港，從而也應該改變了香港的人文思想。筆者這個觀點是：若將香港看成是一個民族，經歷百年殖民，在這個漫長的過程中，多少已具備了日耳曼的人文精神，也就是黑格爾所劃分的第四階段：成熟期。

An Oriental Pearl in the World (1997) / 回歸（1/3）

黑格爾的歷史哲學觀認為，巨大的變革都有其歷史的必然性和產生歷史的意義。

1997 年回歸至今已 15 年，我們若從「精神」本質看，有什麼是值得我們回顧這段歷史，我們可以如何用精神表象描述回歸？

1997 年，由於已經是處於 150 年的後殖民時期，香港已具備濃厚的國際色彩，人文精神的發展某種程度上是進入了黑格爾所劃分的「成熟期」，香港是帶著民主進步、文明富有的光環回歸祖國，這是百年殖民歷史造就了香港這一段最顯著的人文精神。也許是因為處在權力交接之際，社會上「個體」精神的發揮有廣泛的認可性和實用價值（翻閱歷史可見民主在政權穩定後一般都會褪色）。這是一個難得的「集體」和「個體」的和睦時期，讓已有國際色彩的香港人，在「精神」個體方面有機會顯示出自己的能量，顯示出獨特的人文精神，所以我們見 1997 年前香港社會人才輩出，社會精英大量湧現，市面風氣向上，人人力爭表現，個體有充分發揮的舞台，自由性因此也表現得淋漓盡致。

根據上述的表象，筆者從推論的觀點認為：最有歷史意義的應該是讓香港繼續保持原有的高度國際色彩，帶著「成熟期」的日耳曼人文精神，也就是對「集體」和「個體」的理性認知，自我發揮，做出成績，推動進化，為祖國不斷進行的改革開放推波助瀾，發揮對大江河流的平原地帶的影響力，這樣的歷史使命才是香港百年的歷史價值。

然而，黑格爾似乎當年就看到這種美好的願望是不會實現的，他明確地指出：「東方社會是反覆重複在特定階段，其主要原因是東方沒有個體存在，或者是不強調個體。」尖銳的語句還有：**「東方個體不知道自己在受壓逼，所以東方的歷史只是不斷地重覆，難有進步。」**

所以我們可見，今天的香港，還剩下的當年社會精英，此刻只能用餘力吶喊，不然就是無奈地呻吟，而背景則是越來越多與內地人文思想接軌的聲音。所以，回歸也就是意味著要還原本身的地域功能以及還原傳統的人文精神，從歷史的偶然回到歷史的**必然**自我，恢復成為一個普通的海岸城市。

香港是中國南部海岸的邊陲小鎮，是大江河流的平原地帶管治的海岸地區，歷史上對平原地帶的貢獻有限（所以當年願意割讓），回歸後要跟隨內地平原的傳統人文精神也很自然。

Revert to tradition of itself and just being One city of China (2047) / 回歸（2/3）

回歸後香港之獨特性，是香港可以享受一國兩制，50 年不變，這是**皇權所賜**，香港人要清晰這是一段有時間值的歷史，50 年後就要回到歷史的起步點。筆者試用黑格爾的人文發展分階段和會重覆的觀點，嘗試推論出香港人的人文精神變動曲線。

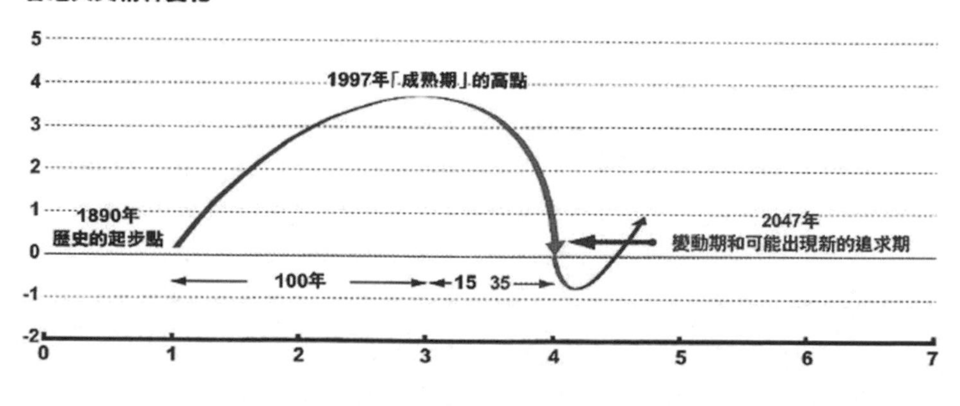

香港人文精神變化 / 回歸（3/3）

起步點 1890 年也就是中國傳統固步的「兒童期」，百年後，如上文所述，1997 年可能是香港在「成熟期」的高點，並以 50 年時間重新恢復到傳統的「兒童期」。50 年雖然説不變，其實就是用 50 年的時間變化回到原點，是一個還原本身的過渡期。15 年過去了，面對未來 35 年的還原過程，可以推論香港的人文精神最後將與中國內地屆時的人文精神一致，甚至會出現一小部分的**「左」傾人物**以及**本土極端思想**，這些都是香港社會歷史的必然現象。

從時間段看，2047 年香港社會屆時要重新檢討自己的貨幣和邊界等等問題，人文思想會出現新的追求也十分自然，説不定會產生符合該歷史時期所需要的英雄人物（黑格爾認為在歷史的關鍵時間就會有英雄出現），帶領香港面向「成熟期」，重新提出新的追求。

特首就是要為香港爭取權益

我們還可以從中國歷代的管治看：中國歷史上只有吏治，沒有法治，只要按照傳統道德觀（沒有自我）去尊敬「家長」，自然就會得到關懷和憐憫，所以，我們不必為香港的管治擔心（不論誰是特首）。但頗為清晰的是：在傳統的人文精神狀態下，「個體」是沒有太多空間可以發揮自我，創造表現，並得到「家長」的讚賞。

香港自身發展的機遇就是要充分利用餘下這 35 年的過渡期，期待國內政治改革出現突破以及利用十八大首次提出「海洋強國」可能給香港帶來地域功能的機會。香港的現實就是要面對「家長」，作出令「家長」放心的成績，或者是了解「家長」不放心的道理，做出相應的表現。對於有爭議性的問題，只能據理力爭，説服「家長」，相信這就是未來香港「普選」特首的歷史使命。

中國社會在可見的將來，相信仍然是處於黑格爾所認為的「兒童期」，保持在「**皇權統治**」和「**家長帶領**」的階段，人文精神也是接受 Substantial freedom/（**絕對自由**）和 Substantial will/（**絕對意志**）的統治。中國社會的基調還是在迷悟中努力尋找自己可以持續發展的模式，也就是繼續「摸着石頭過河」。因此，若香港可以提出自身的發展方案，在各種條件都能配合的時段，獲得「家長」認同，其自行發展的機會仍然存在。

最後，筆者以 2012 年 7 月 13 日在《信報》發表的文章，作為此篇哲理文章的結尾，也希望整體文章能給各位讀者帶來知識性和趣味性，引發一些思考。

50 - 15 繼續 Short Call Hong Kong（20120713）

2007 年 7 月，筆者有篇文章題為〈回歸十年 笑談風雨 再看中產〉（此文在《期權 Long & Short》心理花絮），五年後翻看此文，趣味依然，今拾筆寫續如題。

香港特區進入第 15 週年，第三任特首也在「士大夫」們艱難的權衡中產生，這是一場精彩的人性表演。我們見唐英年流淚，這是真正的男人眼淚，因為他是滿懷信心要當特首，但失敗了。要知道，他不是當年陪跑的梁家傑，也不是如怨婦人般動不動就含淚求情的 Smart 曾。最莫名其妙的是范老太范徐麗泰，選舉初期，講話吞吞吐吐，表達不明不白，相信只有她身邊的人才知道她蠱惑行為的真正內涵，與其出任立法會主席時的敏鋭思維和明確言辭判若兩人。立場鮮明的張震遠，擺明車馬就是支持梁振英，堂堂正正，漢子一條，贏得義氣風發，但這種行為即使是輸，也一定是輸得光彩，這才是政治人物。至於西環的訊號，京城的風力，不是我等庶民的分析能力所及。

「祖國好　香港好」

第一任特首董老伯是老好人，一廂情願，喊出「祖國好，香港好」，但閣下若把中港兩地的 GDP 從 1997 年開始做一個比較（公道些可以比至董生下台），若以兩好為準，誇張一些講，可能是背馳。五年前的文章提及 97 年英國《Financial Times》的封面標題 "Hong Kong is Sinking"（香港正在下沉），筆者當時的網上文章指出：香港不是 Sinking 也是 Shrinking （萎縮）。

「你想窮都難」

第二任特首是香港的醒目仔，為了顯示講話有分量，面對媒體自稱是流著香港人的血，為了 make you happy，講出「你想窮都難」。很難想像這是出於我們最高領導人的口，這是典型的信口開河。不過，從近期媒體曝光看，其本人的確很難窮，過了幾年超級大富大貴的日子，充分享受權力，實在不枉此任。

這兩位前特首的言語到底是「大智慧」，還是「那依芙」（Naïve，前國家主席江澤民先生當年指點港人所用的字眼），各位讀者可以各自下論。現任特首梁振英先生是在如此艱難的「選舉」中產生，但以他口才之謹慎，估計不會再發出如此驚世之言。

香港只能 Short Call

大江東去，英雄淘盡，新生崛起。主沉浮者，還是大智慧的鄧小平先生，他定調 50 年不變。筆者曾經想過，為什麼是 50 年，而不是 25 年，或者乾脆是百年不變。後來發覺 50 年很有哲理，首先是 50 年為兩代人，有足夠的時間讓香港庶民忘記過去的殖民歷史。其次是 50 年中國的發展一定遠超香港，大國崛起後的會議台上估計香港能討論是如何接受，但已提不出條件。

筆者從選舉還沒開始就看好梁振英，因為這是唯一的選擇。大家都在期待此任特首做到的是：五年後有普選機會。但有普選又如何？筆者認為，若香港對內地的價值漸失，普選不走樣也意義不大，只是有好過無，Sinking 和 Shrinking 不會變。目前香港仍有持續價值的估計只剩下金融業，因為在這個行業，香港還可以繼續發揮其國際性。

大英統治香港 100 年，從某種意義上是改變了香港在中國歷史上的地域功能，令其具有獨特的國際性。所以 97 年前陳方安生提出香港應該以地區身份，與世界貿易組織簽協議，持續這個歷史造就香港的獨特性。筆者當時經商，興奮得徹夜難眠。若能成事，相信今天香港庶民的自信心和拼搏精神一定大不相同。

50 - 15，時間值還有 35 年，香港就要慢慢回到這個邊遠海濱小鎮在中國歷史上的傳統功能，也就是大清管治時代的功能，若歷史上香港財政要大清撥款，此刻回到母親的懷抱享受母乳餵養也很自然。所以，回歸 15 年來，從士大夫到庶民，總是滿懷希望地期待特首有辦法從京城取得厚禮，不知這是否也是大清時代的現象。筆者以期權的觀點看香港，此刻只能 Short Call，慢慢賺取剩餘的時間值。

2014.09 信報財經月刊

博弈論對在金融市場打滾的人不會陌生，鷹鴿理論亦然。筆者在期權教室堂上講過，期權功能的設計十分明確，是給大戶用於對沖，不是為散戶用來對賭。因此，在這個期權博弈市場上，作為散戶，閣下的對手在大多數情況下都是大戶或莊家，所以筆者認為用鷹鴿理論來比喻非常恰當。要成為在鷹的佔領區（香港是典型市場）覓食的鴿，而且是能長期生存的鴿，一定要有些與眾不同之處。

金融工具 | **杜嘯鴻** 香港嶺南大學實踐哲學研究生

滬港通增需求 博弈與邏輯用在期權

期權投機用概率的缺陷十分大，因為期權需要考慮的因素較多，而且每個因素都會變，因此，制定概率的機制本身就已經形成風險，這也正是為何股市的技術分析不能盡信的原因。相比之下，對大眾投資者而言，熟練運用邏輯可能勝算更高，主要運用的就是演繹法和歸納法。

香港是世界金融中心之一，也是衍生工具之都，期貨與期權是主要的衍生產品。香港投資者對衍生工具並不陌生（見圖 1），對衍生工具的認知及投資意欲比結構性產品還高，參與者和成交量都在增長。內地期權市場已敲定今年中開張，內地證監要求券商必須在每個營業點配備一位有期權知識的營業員，可見對這個業務的重視。「滬港通」此刻正在密鑼緊鼓之中，雙向流通也定會帶來對期權對沖操作的需求，因為目前交易所期權成交已是以內地股票為主（見圖 2）。期權是香港交易所這幾年大力推廣的衍生工具，借「滬港通」之勢，期權應該會成為滬港股市衍生工具的主力產品（因為是交易所自己發行的產品），值得大家關注。本文是從哲學的博弈論和邏輯的觀點，理性分析期權的參與者及其操作。

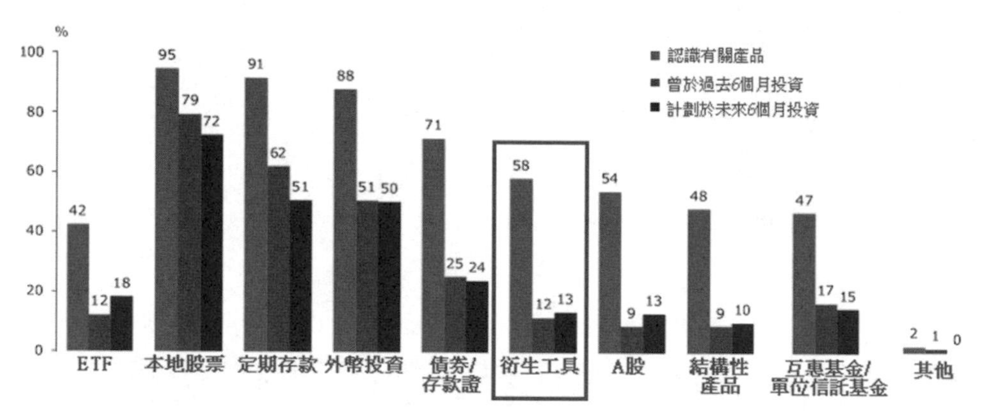

（圖 1：受訪香港投資者對各類金融產品的投資意欲－ 2013 年 11 月）

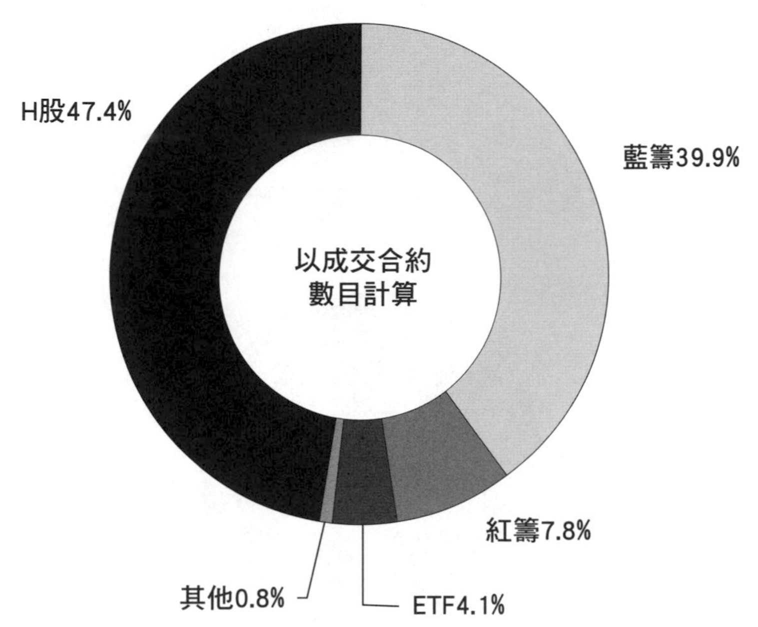

（圖 2：港交所上市的香港股票期權成交分布－ 2014 年 6 月）

鷹鴿博弈：大戶 vs 散戶

去年 12 月 2 日香港交易所發新聞稿〈外地投資者參與香港交易所衍生產品市場的比重持續高企〉，本文引用的比例圖片也是來自這篇新聞稿（見圖 3）。

該圖所做的統計是計至 2013 年 12 月，香港期權市場參與者的分佈及比例，圖中也附帶了 2011 年 12 月的數據，以此我們可見本港期權市場的生態環境。筆者在期權教室堂上用此圖講解期權時有 "Who are You?" 這個專題。因為筆者所指的期權操作者是指親自動手操作自己資金的散戶，按科斯托蘭尼的觀點，就是只對自己負責任的人，所以，應該是本地個人投資者。

很明顯，本地個人投資者的比例在增加，股票期權從 17% 增至 18%，指數期貨及期權從 14% 增至 17%，但本地機構投資者在減少，正是此消彼長。圖中可見，本地個人投資者面對的市場對手是數量絕對多的大戶，在這種市場環境下，對本地投資者來說，是否一定處於劣勢任人宰割？對大戶是否一定處於優勢可以任意所為？筆者在此試用學術觀點分析如下：

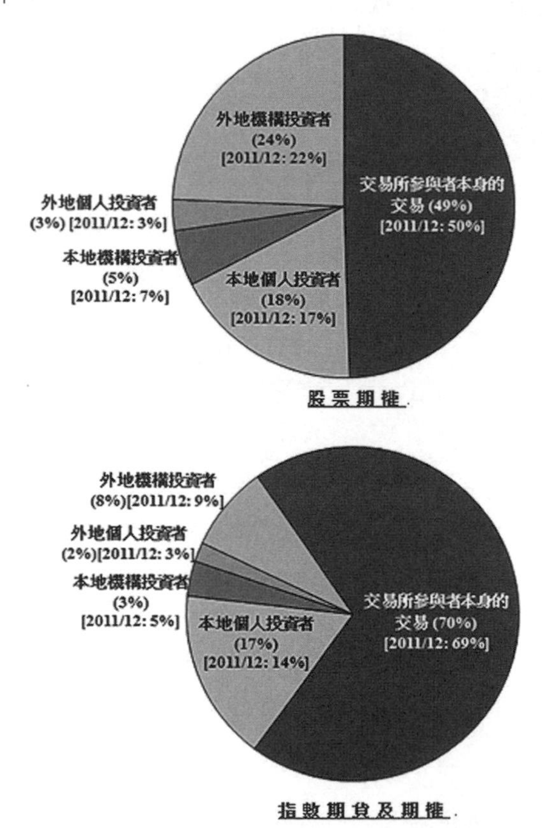

（圖 3：香港股票期權和指數期貨及期權的市場參與者比例圖－ 2013 年 12 月）

從哲學觀點出發的博弈理論（Game Theory）中有一種博弈稱之為鷹鴿賽局。這種博弈是根據生物的行為作分析的對象，具體就是鳥類的老鷹與鴿子，並以鷹與鴿的最後損益為基礎提出論據。

首先看鷹多鴿少，出現這種現象的結局可能鴿子會越來越少。因為鴿子根本無法在眾鷹之中覓得食物，即使是鷹不在意這些食物，也會因為食物太少（鴿不會搶食物，只會分享，因此太難覓食），只有離場。但鷹多也不見得每隻鷹可以獲得更多的食物，因為鷹不會互讓，而是互搶，不會因為鴿子少而可以獲得食物更多，因為鴿子本身並不是與鷹爭食物的對象。但由於老鷹眾多，食量也大，好不容易打拼回來的食物也會在鷹與鷹之間不間斷的互鬥中迅速消耗。

鷹少鴿多又如何？出現這種的結局可能是鴿子會越來越多。因為鷹少，鷹不必拼全力互相競爭就可以輕而易舉地用鷹的威脅力獲取足夠的食物，餘下的食物可以讓給鴿子。可是一旦有如此方便地覓食的地方，當然鴿子會越來越多，但鴿子多不代表都能獲取足夠的食物，在分享食物時，會越分越薄，因為對大量習慣方便覓食的鴿子而言食物還是有限。

散戶要大戶一起覓食

從這些鳥類生物的行為分析，我們可以發覺，無論是鷹多還是鴿子多，其結果都是會造成這兩種鳥類的最終損失擴大而不是收益擴大。所以，較理想的調控就是如何將老鷹和鴿子的數量維持在某一個比例，符合適當的生態環境，這樣雙方都有可能獲得自己應有的收益。

行文至此，各位讀者應該領會到筆者講鷹與鴿的寓意，若閣下是散戶，不知是否認同筆者的觀點：對鴿子來説，最佳的生態環境應該是在眾鷹相爭中生存，能力差的鴿子多數已離去，只有少數留下，這些沒有採取離場策略鴿子一定懂得如何與鷹周旋，而眾鷹相爭之時不在意的食物也已經足夠給為數不多的鴿子享用。

期權是衍生工具，筆者認為用鴿子比喻散戶在這個市場的角色十分恰當。在眾鷹相爭之時，只要懂得站在或跟隨強者一邊，在強者保護下覓食，要獲得食物並非難事。

筆者講的散戶是指以操作期權，賺取期權金為目標的群體（Trade Premium for Living），這個群體的思維方法上與傳統股票持有者大不相同，因為操作期權是以每月計算盈虧的買賣模式，所以至少每月都要做出決策。因此，如何跟隨，如何分辨強弱，如何制定既能保證生存又能滿足自我需求的策略，就是考驗每位參與者的決策能力。

邏輯決策，哲學家康德 /Kant（1724 - 1804）對認知領域劃分成兩大塊，也就是知性（understanding）和感性（sensibility）。對大多數人來説，認知基本上是從經驗開始，這種認知也就是理性，所以越是有經驗，越是有實踐，通過知性獲取認知就會越多。但對少數天才來説，可能不需要太多的知性，只憑感性就可以獲得認知。這方面傑出人物就是喬布斯（Steve Jobs），他是極少數以感性（Jobs 的用詞是直覺 /intuition）可以去獲取認知的人，這也就是所謂的先驗（transcendental）。

在金融市場，人們是理性決策還是感性決策？如上文提及的鷹鴿博弈，大戶是鷹，散戶是鴿，眾多的鷹鴿形成了市場。若從鷹的角度看（投資銀行及機構投資者），他們的認知應該是理性的，因為有資金聘請專才做仔細的分析，投資行為都是理性分析的結果。若是從散戶的角度看（散戶的定義為只是操作自己的錢，不對其他人負責），由於散戶不可能做如此仔細的分析，因此投資行為本身的感性成分會較多，因此，散戶的語言是感到要升或覺得要跌。

在期權操作層面，對散戶而言，參與期權買賣大多數都應該是投機行為，而大戶則大多數是投資行為，為資產作對沖（Hedge）。但不論是鷹還是鴿，都要面對變化萬千的市況，在這種情況下，雙方需要的可能更多是感性，因為決策都要在較快的時間內做出，此刻良好的感性可能更勝理性。筆者認為，若要運用感性得當，最實在的就是要習慣理性思維，以及對非理性有所認知，這樣就可以在理性思維的平台上讓感性成為理性的迅速反映。

期權不是賭　不宜用概率

雖然，在散戶的層面看，可能認為期權是零和遊戲，也就是賭。但筆者不認為期權投機是賭，期權有零和的成分，但主要還是用於對沖。若是賭，大多數情況下都是用概率（probability）計算，當概率無法定真假（true or false）時，就使用骰子硬幣（dice or coins），變成徹底的賭，這絕對不是期權。期權操作用概率的缺陷十分大，因為期權需要考慮的因素（下文會提及）較多，而且每個因素都在變，而且會根據時間而變。因此，制定概率本身就已經形成了風險，這也正是為何股市的技術分析不能盡信的原因，若可以完全根據技術分析操作，人人都可以是贏家。當然，還有許多更深層次的技術分析，就是用量化策略（quantitative strategy），在電腦運算中得來優化（optimization）的數據，但其結論經常也是不完美，不是結論本身，而是制定量化策略的方法不可能完美，產生制定方法的風險。在散戶層面，更是不可能花大量的時間和精力在歷史數據中，自行建立一套量化策略。

相比之下，對大眾投資者而言，筆者認為熟練運用邏輯可能勝算更高，主要運用的就是演繹法（Deduction）和歸納法（Induction）。這些所謂邏輯思維其實十分簡單，不必看到這些學術名詞而卻步，因為這些都是我們日常生活中通過經驗獲取的認知。

演繹法（Deduction）是從一般性的論證找出特定的結論，但分析一般性的論證存在論證自身的真假問題，所以我們要先定出條件。**任何具有此形式的論證若前提都是真的，則結論不可能為假；但由於論證前提可以是假，所以結論也可能是假。**

舉例論證前提：

上升市有大成交是看好後市　　假

下跌市有大成交是看淡後市　　假

股票買賣就是市場成交　　真

買賣股票就是好淡較量　　真

上升市成交有可能是好友獲利回吐　　真

下跌市成交有可能是好友乘低買進　　真

結論：

市場成交只是股票持有者互相交換　　真

上升成交看升，下跌成交看跌　　假

可見採用不同的論證前提，結論也有真假。

以上是非常理性的演繹分析，有邏輯的必然性，若能夠加入波幅觀點，分析效果更有説明力。

歸納法（Induction）是從某個特定的結論找出一般性的論證，分析結論時是已知一般性的論證，只是不知是否論證百分百真或假，所以在論證對錯之前，**我們並不應以對或不對，而應該以可能性的高低來形容一個歸納論證，也就是強弱之分**。

"Sell in May and run away"，這是一個特定的結論，支持這個結論的觀點為：在一般情況下，五月是公佈業績高峰期，連帶有派息和除淨，所以股價會下跌。這就是一個歸納頗強的論證，規律性的內因前提強，導致了論證也強。

「香港股市有秋官效應」這也是一個特定的結論，但這是一個弱結論，因為論證只強調演員鄭少秋，而鄭少秋不是具有規律性的內因前提，只是偶然性，所以是弱論證。

由此可見，以上這兩種邏輯法實際上就是我們平時的思維方法，並沒有什麼特別之處，只不過哲學令其條理化，規範化，我們在實踐時有規律可依。

在金融市場上我們經常會在表面現象中找答案（演繹），或得知一個觀點後去找相關的前提做可能性的論證分析（歸納）。但要留意的是，金融市場是反映人的行為，人的行為可以理性（如上文的邏輯分析）也可非理性（irrational），出現非理性不足為奇，而那正是理性者的獲利機會。

雖然巴菲特（Buffett）指出衍生產品是大殺傷力武器，但他也認為不是不可以碰。他本人也大量參與股票衍生工具買賣，他的拍檔芒格（Charles Munger）也批評衍生產品，但同時亦研究指數，可能是期權買賣的獲利甚豐。

筆者在《期權 Long & Short》書指出做期權用 Raw Data（未經加工的數據指標）要比 Row Data（橫向排列的技術分析指標）重要，理據在書中有細述。以下是幾個主要的期權 Raw Data，是做期權要考慮的重要因素。

因素（Raw Data）	內容		
1/ 開倉時間	Early of Month / 月初	Mid of Month / 月中	End of Month / 月尾
2/ 行使價月份	即月	下月	再下月 / 遠期
3/ 行使價	ITM/ 價內	ATM/ 等價	OTM/ 價外
4/ 日波幅	ATR/Low/ 日波幅偏低	ATR/Average/ 日波幅持中	ATR/High/ 日波幅偏高
5/ 引伸波幅	IV/Low/ 引伸波幅偏低	IV/Average/ 引伸波幅持中	IV/High/ 引伸波幅偏高
6/ 未平倉合約	成交大 / 增倉	成交大 / 減倉	成交小 / 增減不明顯

（表：做期權需要考慮的六大 Raw Data）

我們試用 2014 年 4 月 10 日國指即月期權的成交和未平倉合約做邏輯演繹分析。當天國指最高 10591，最低 10222，收市 10421，國指即月 Call 位 10800 成交 5287 張（近期大成交），未平倉合約增 2112 張（大增倉）。

分析如下：

一）開倉時間剛進入月中，時間值對 Short 倉有利；

二）月份選即月，對 Short 倉有利；

三）行使價選價外，同時是上次下跌的起點；

四）日波幅明顯偏高（IV 增）；

五）引伸波幅明顯偏高（期權金漲）；

六）期權成交大，未平倉合約明顯增倉。

以上六點都是真，具強論證的表象，結論應該是主動 Short Call 倉，所以也應該是真。按『期權循環圖』就是看『升有限』，執行 Short Call 策略才是操作者的最大利益，各位可以自行參照國指日線圖。

若已知鷹的動向，鴿子自然懂得如何覓食，感性可以立即做出決策。要提醒的是，這是頗費心機的功課，閣下必須樂在其中。

衍生工具是多人博弈的市場，有時不單是取決於實力，而是取決於實力對比造成的複雜關係以及取捨態度。有分析就會有觀點，有觀點就可以制定策略，制定策略時就要盡可能符合自身的條件。這是指你的策略對你自己的其他策略有優勢，不是對市場對手的策略有優勢。通俗講就是：只做到自己最好，不一定是市場最好；只有較佳策略，沒有絕對好策略。最理想的優勢策略就是自己的最佳策略，同時也是符合市場共識。

制定策略除了要了解自己的優勢，還要知道自身弱點，最佳策略要包含**自己的弱點**，比如有限的資金量，有限的時間，在某種情況下會出現情緒不穩定，等等，制定策略時要迴避這些可能出現的現象。另外就是要有**目標利潤**，這是制定策略的重要元素，由於期權是每月結算，參與者應該有自己每月的利潤目標，用利潤目標制定策略。萬一不達標，最佳的退路是打和離場；一旦做對，目標利潤翻倍。以上兩個環節（**自身弱點與目標利潤**），一定要貫穿整個策略的制定，以體現邏輯，不具備這兩個環節不能稱為優勢策略。因此，若自己的優勢策略不能達到市場的最佳策略，這也完全合理。

中國兵法講究多算，孫子兵法上説：“多算勝，少算不勝，而況於無算乎？”。期權操作就如行軍打仗，要習慣多算，對風險做出充分計算後行動。在這個時刻，情緒是我們的大敵，大意疏忽都是經常發生的，我們知道這是人類行為的必然現象，所以也要在某種程度上原諒自己。

邏輯在期權策略的運用就是要作出前後一致的，在已知風險情況下，將利潤最大化的選擇。基於邏輯，周密分析和細心研究後的決策，總比靠膚淺感覺，人云亦云，憑經驗決策要好。邏輯訓練是理性思維的實踐過程，如上文提及，習慣了理性思維，感性就可以成為理性的迅速反映。

學哲學做期權

殿堂級的投機家索羅斯（Soros）和他的早期拍檔羅傑斯（Rogers）都是哲學愛好者，但他們兩人都承認學習成績欠佳。索羅斯曾自嘲他希望成為哲學家但學得不好，可是我們見他的反射理論著作中充滿哲學的邏輯味道。羅傑斯則是強調要習慣用演繹法和歸納法，而且要從小開始訓練自己（《給女兒的 12 封信》）。可見他們運用所學在投資領域發揮得淋漓盡致，實在值得我們借鏡。

環繞期權操作，筆者在期權教室上課時講解期權也加入一些哲理內容，學員頗為受落。這就是教學相長，因為不論是投資還是投機，參與者都應該不斷地追求理性。

最後，在此要多謝香港中文大學哲學系盧傑雄博士對本文給與的指導。

後記

讀完這本書，閣下是否準備進場操作期權？筆者的回答仍然同 2009 年《期權 Long & Short》初版後記的結尾一樣如下：

本書雖然講如何賺錢，但也告誡各位年輕朋友，不要把賺錢當成唯一的人生目的，應該像動態做期權一樣，在生活中動態地尋找自己的興趣和天賦，然後將不會令自己疲倦的工作與創造財富結合在一起，花三十年的功夫，你一定成功！當然，若你認為你十分適合炒賣，對期權又有興趣，那你可能已經走在財富的大道上。

筆者主張做期權要生活化，也就是 Humanized Option Trade。因為研究期權頗費時間，你會覺得一天 48 小時都不夠。所以，要有生活的元素進入研究期權。科斯托蘭尼是在放狗的路上領悟到股市的變動規律，我們是否也可以在生活中領悟期權呢？筆者認為保持對生活樂觀的態度，思維就會健康，所以游泳和音樂一直是筆者的兩大愛好。

《期權 Long & Short》後記有本人的畫像，那是本人中學同學憑記憶所作，筆者當年給同學的印象是一天到晚拉小提琴，可惜已放棄（這是筆者人生最大的遺憾）。但本人仍然對音樂興趣濃厚，有時會偶拾雅興吹幾曲口琴，這次在《期權心理》的後記還附上了筆者吹口琴的自畫像。因少年時也曾學畫，最喜歡的是炭筆自畫，如今重拾，本人粗描，友人細繪，希望各位讀者不要見笑拙筆。

用音樂和美術來結尾，對一本分分鐘講錢的金融書籍來説的確罕見，不過，這就是我 Freeman。

最後，作為結尾，筆者有個建議：若你已持有《期權 Long & Short》第五版，當然不必買第六版，但若閣下希望對此書有個完整的認知，第六版的序，值得一看！

杜嘯鴻

2015 年 6 月

作者自娛素像圖

若閣下對期權有興趣，請繼續閱讀進階篇：

《股票期權》

《指數期權》

以及

《期權十年》